KB036142

武林五賊

무림오적

무림오적 24

초판 1쇄 발행 2020년 7월 13일

지은이 ┃ 백야
발행인 ┃ 신현호
편집장 ┃ 이환진
편집부 ┃ 이호준 송영규 최종건 정재웅 양동훈 곽원호 조정범
편집디자인 ┃ 한방울
영업·관리 ┃ 김민원 조은결 조인희

펴낸곳 ┃ ㈜디앤씨미디어
등록 ┃ 2002년 4월 25일 제20-260호
주소 ┃ 서울시 구로구 디지털로 26길 111 JnK디지털타워 503호
전화 ┃ 02-333-2513(대표)
팩시밀리 ┃ 02-333-2514
E-mail ┃ papy_dnc@dncmedia.co.kr
홈페이지 ┃ www.ipapyrus.co.kr

값 8,000원

ISBN 978-89-267-0696-1 04810
ISBN 978-89-267-3458-2 (SET)

백야 신무협 장편소설

PAPYRUS ORIENTAL FANTASY

24

무림오적

PAPYRUS
파피루스

1장.
여우 같은 십삼매

별호는 몽중호리(夢中狐狸)입니다.
나이는 이십대 중후반, 아름답고 우아하면서도 요염하기까지 해서
성도부 최고의 미녀라고 알려져 있습니다.

1. 허 노야

"주무십니까, 어르신."

묵직한 음성이 들려왔다.

허 노야는 눈을 끔뻑거렸다.

나이가 들다 보니 아무리 깊은 잠이 들어도 조그만 기척에 금세 잠이 깨고 말았다.

그는 살짝 몸을 일으키며 말했다.

"깼다."

조심스레 문이 열리고 한 사내가 들어왔다.

단단한 체구에 안정적인 자세, 그리고 깊게 가라앉은 눈빛을 지닌 사내였다.

허 노야는 몸을 반쯤 일으켜 베개를 등에 대며 물었다.

"무슨 일이냐, 루호(淚虎)."

루호는 허 노야의 앞에 무릎을 꿇으며 말했다.

"성도부의 밤거리가 낯선 자들에게 지배당하고 있습니다."

"응?"

허 노야의 눈썹이 살짝 올라갔다.

허 노야는 성도부에서 유명한 고리대금업자였다. 성도부의 뒷골목은 물론 관가나 상계까지 인맥이 닿고 세력이 있어서, 그 누구도 감히 함부로 대하지 못하는 인물이 바로 그였다.

하지만 그건 어디까지나 허 노야가 대충 둘러쓴 가면에 불과했다. 그의 진실한 모습은 유령교(幽靈敎)의 호법공(護法公)이었던 것이다.

루호는 그 허 노야의 오른팔이었다.

"오늘 밤 성도부의 흑도방파 세 곳이 몰살당했습니다. 흑룡방과 칠성방, 그리고 은월방(銀月幫)이 괴멸했습니다. 방주를 포함한 모든 방도들이 목숨을 잃었습니다."

"허어."

허 노야는 가만히 루호를 바라보며 물었다.

"그 말을 지금 나더러 믿으라는 게냐?"

"사실입니다."

루호는 차분한 어조로 말했다.

"조사를 나갔던 무원(舞猿)이 꼬리를 달고 돌아왔습니다. 하마터면 이곳까지 놈들의 마수가 뻗칠 뻔했습니다."

"그래?"

제법 놀랄 일이었다. 무원, 춤추는 원숭이라는 별호를 지닌 그는 보법과 경신술, 은잠술이 뛰어난 인물이었다. 그런 무원이 꼬리를 밟히다니, 게다가 그 사실도 모른 채 이곳까지 돌아오다니.

허 노야는 눈살을 찌푸리며 물었다.

"그 꼬리는?"

"죽였습니다."

"죽여? 잡아서 신문을 해야지."

"죄송합니다만 사로잡기에는 너무 강했습니다."

"응? 네가 직접 나섰는데도?"

"네. 무원의 뒤를 밟은 건 두 명이었는데 저와 무원, 취표(醉彪)까지 힘을 합쳐서 겨우 죽일 수가 있었습니다."

"그들의 무공은?"

"그게…… 아무래도 무적가의 무공이 아닐까 싶습니다."

"호오."

"열화신공이야 종종 볼 수 있는 무공이지만, 그 정도의 숙련도와 화력을 지닌 무공은 근자에 보기 드뭅니다."

잠시 생각하던 허 노야가 고개를 갸웃거렸다.

"하지만 이해가 가지 않는군. 무적가가 왜 성도부 밤거리를 지배하려고 드는 거지?"

"잘 모르겠습니다."

루호는 고개를 숙였다.

사실 이들은 황계와 매우 밀접적인 관계를 맺고 있었다. 하지만 그렇다고 해서 황계가 얻은 모든 정보들이 이들에게 전해지는 건 아니었다.

그런 까닭에 이 성도부에서 제갈충렬이 죽고, 또 제갈충인이 살해당한 사실은 그들 역시 미처 모르고 있었던 것이다.

그러니 왜 무적가가 이 한밤중에 행패를 부리는지 도저히 감을 잡을 수 없는 게 당연했다.

"몇 명이나 온 것 같더냐?"

허 노야가 다시 물었다. 루호는 고개를 숙인 채 대답했다.

"무원의 보고에 따르자면 최소한 삼백, 많으면 오백 정도의 인원이 투입되었다고 합니다."

"으음."

허 노야의 입에서 신음이 흘러나왔다. 생각보다 훨씬 더 많은 수의 인원이 몰려든 것이다.

"물론 하나같이 최절정의 정예들로, 그들이 성도부 밤거리를 몰려다니면서 모든 흑도방파와 객잔, 도박장들을 박살 내고 다니는 중이라 합니다."

루호의 말이 계속해서 이어졌다.

"심지어 유곽과 청루들까지 손을 대지 않는 곳이 없다고 합니다."

"허어. 도대체 무슨 일을 벌이고 있는 걸까?"

"우선 취표와 화서(花鼠)를 비롯하여 아이들 몇 명을 곳곳에 뿌려 두었습니다. 놈들의 흔적을 뒤쫓으며 그들의 정체, 그리고 지금 벌이고 있는 살육극(殺戮劇)에 대한 이유 등을 조사하는 중입니다."

"잘했다. 최대한 빨리 놈들에 대해서 알아내라. 아무리 생각해도 나는 저들의 행보가 전혀 무적가답지 않다는 느낌이 드는구나. 정파를 지향하는 무적가가 이런 잔악한 살육극을 벌이고 있다니 말이지."

허 노야는 도저히 이해가 가지 않는다는 얼굴로 중얼거리다가 문득 생각났다는 듯이 물었다.

"십삼매는?"

"안 그래도 흠묘(欠猫)를 보냈습니다. 십삼매라면 지금 일어나고 있는 상황에 대해서 알지 않을까 해서 조금 전에 보내 두었습니다."

"잘했다."

허 노야는 만족스럽다는 듯이 고개를 끄덕이면서 말했다.

"무적가이건 뭐건 간에 성도부의 밤거리는 우리 것이다. 한데 우리의 허락도 없이 감히 구역을 넘봐? 그건 곧 우리를 무시하고 능멸한 것."

"그럼…… 저들과 싸울 작정이십니까?"

"무슨 소리?"

허 노야는 눈을 동그랗게 뜨며 말했다.

"먼저 그들의 정체와 목적을 알아내야지. 지피지기면 백전백승이라고 하지 않았더냐?"

허 노야는 기지개를 켜며 말을 이었다.

"게다가 아직 우리에게 직접적인 피해를 입히지는 않았으니까, 굳이 백팔 호교위를 모두 소집할 건 아니다. 사실 놈들이 흑도방파만 정리하고 빠진다면 우리에게 이득이면 이득이지 결코 손해는 아니니까."

"알겠습니다."

바로 그때였다. 밖에서 루호를 부르는 소리가 들려왔다.

"위장(衛將), 안에 계십니까?"

술에 취한 표범, 취표의 목소리였다.

그는 언제나 술에 취한 듯한 얼굴과 말투였는데, 놀랍게도 지금 들려오는 목소리는 전혀 그렇지 않았다. 긴장과 당황, 초조함이 물씬 담긴 목소리였다.

그 미묘한 변화를 감지한 것일까. 루호가 대답하기도 전에 허 노야가 먼저 말했다.

"무슨 일이냐?"

"화서가…… 죽었습니다."

"뭐라고?"

일순 허 노야의 목소리가 높아졌다. 루호의 얼굴도 딱딱하게 굳어졌다.

취표의 보고가 계속 이어졌다.

"저들의 수뇌로 보이는 자에게 접근하다가 그만 발각 당한 후, 이각여 동안 쫓겨 다니다가 결국 목숨을 잃었습니다."

"이, 이런……."

허 노야의 얼굴이 일그러졌다.

화서는 곧 다람쥐를 뜻하는 별명으로 허 노야가 가장 아끼던 수하이자, 그의 밤 시중을 들어주는 아름다운 연인이었다. 또한 은신술과 도주에 관하여 백팔 호교위 중에서 다섯 손가락 안에 드는 고수였다.

즉, 도망치기로 작정했다면 세상 그 누구도 그를 뒤쫓기 힘들 정도의 실력을 지닌 그녀였는데, 결국 상대의 추격을 따돌리지 못한 채 살해당한 것이다.

루호도 이를 갈 듯 말했다.

"백팔 호교위를 소집하겠습니다. 당장 놈들을 때려잡아 화서의 복수를 해야 합니다."

하지만 허 노야는 예상외로 침착했다.

"아니, 아직 변한 건 없다."

"네?"

"조금 전에도 말했지만 상대가 누구인지 먼저 알아내

는 게 급선무이다."

"하지만……."

"복수를 하지 않겠다는 게 아니다. 나 역시 그녀의 죽음을 누구보다도 안타깝게 생각하고, 또 크게 분노하고 있으니까."

"죄, 죄송합니다."

"하지만 분에 이기지 못해서 제 성질대로 행동하는 건 그야말로 어리석은 자의 본보기와도 같은 것이다. 이럴 때일수록 침착하고 냉정하게 일을 처리해야 한다."

"알겠습니다."

"우선 백팔 호교위를 소집해 두자. 한편으로 놈들의 정체를 파악한다."

"제가 직접 움직이겠습니다."

"그래야지. 그녀의 은신술마저 간단하게 파훼한 놈들이다. 은잠술에 뛰어난…… 실력이 좋은 자들로 몇 명 꾸려서 움직이도록 해라."

"그리하겠습니다."

"십삼매에게 연락이 닿으면 곧장 내게 보고하고."

"그리하겠습니다."

"좋아."

허 노야의 말에 루호는 고개를 숙인 후 곧바로 방을 빠져나갔다. 이내 그와 취표의 기척이 사라졌다.

방안에 홀로 남게 된 허 노야의 눈빛이 가늘어졌다. 조금 전과는 달리 걷잡을 수 없는 살기가 그의 조그만 체구에서 뭉게구름처럼 피어올랐다.

　"내 아이들을 건드리지 않았다면 모르되, 건드린 이상 나도 가만있지 않을 것이다."

　그는 이를 갈 듯 중얼거렸다.

　"네놈들이 무적가이건 아니건 상관없다. 지옥 끝까지 쫓아가서 모두 죽여 주마. 그때까지 목이나 깨끗하게 잘 씻고 있도록."

　그는 마치 애인에게 속삭이듯 낮은 목소리로 조곤조곤 중얼거렸다. 하지만 그 눈빛만큼은 그 어느 때보다 진한 살기를 뿜어내고 있었다.

　유령교의 호법공.

　한 때 그 잔인하고 악랄하며 무자비함으로 인해 모든 강호무림인들이 치를 떨며 두려워했던 바로 그때의 눈빛이 새롭게 발현(發現)되고 있었다.

　2. 박쥐

　"별호는 몽중호리(夢中狐狸)입니다. 나이는 이십대 중후반, 아름답고 우아하면서도 요염하기까지 해서 성도부 최고의 미녀라고 알려져 있습니다. 그녀가 황계의 성도부 지부주가 된 것은 대략 십여 년 전의 일이라고 합니다."

"조사한 바에 따르자면 정계(政界), 관계(官界), 상계(商界), 무림 할 것 없이 모든 방면에 걸쳐 인맥이 뛰어나고 교류가 활발합니다. 일반적으로 정보만 사고파는 다른 지부와 달리, 십삼매는 사업 등에 대한 조언이나 향후 방향 등에 대한 계획도 세워 준다고 합니다."

"그 계획과 조언들이 상당히 뛰어난 까닭에 성도부 내 많은 거물들이 그녀의 도움을 받았다고 합니다. 성도부 상권을 휘어잡고 있는 만 노야, 흑룡방의 고꾕 등등이 모두 그녀의 조언에 의해 현재의 위치에 이르렀다고 합니다."

"호오, 이야기만 들어 보면 이거야말로 여자 제갈량(諸葛亮)이 아닌가?"

보고를 듣던 제갈보광은 문득 흥미롭다는 표정을 지으며 눈을 빛냈다.

"미모는 서시(西施)에 양귀비(楊貴妃)의 색기까지 지니고 있고, 거기에 머리는 제갈량이라……. 과연 얼마나 대단한지, 그 보고들이 사실인지 한번 직접 만나 보고 싶군 그래."

"현재 십삼매의 거처 주변으로 약 백여 명의 사람들을 풀어 그녀의 행적을 조사, 탐문하고 있습니다. 하지만 여전히 오리무중입니다."

"증언자들의 이야기를 들어 보자면 어제 오후까지 그녀는 자신의 거처에 머무르고 있다고 했습니다. 즉, 아무리 빨라도 어제저녁부터 갑자기 자취를 감춘 것이니……."

"우리의 움직임을 알아차리고 숨었다?"

"네. 아무래도 그런 것 같습니다."

"우리가 누구인지 알고서?"

"그건 잘 모르겠습니다. 하지만 우리의 행사를 보고 자신들 역시 위험해질 수 있다고 생각한 것만큼은 확실합니다. 그들 또한 이곳 성도부의 흑도방파 중 하나이니까요."

"그렇겠지. 우리가 흑룡방을 어떻게 처리했는지 알았다면 당연히 몸을 숨기려 했겠지."

"그건 성도부 몇몇 거물들 역시 마찬가지입니다. 어디의, 누구의 연락을 받은 건지는 모르겠지만 우리가 찾아갔을 때는 이미 몸을 숨긴 후였습니다."

"그것도 십삼매의 짓이겠군."

"그렇게 추측하고 있습니다."

"흠, 지금 이야기를 종합해 보면 결국 십삼매가 성도부 밤거리를 다스리는 진정한 주재자(主宰者)인 것 같군그래. 이거 갈수록 한번 꼭 만나 보고 싶은데."

"노력 중입니다."

"아, 몇 가지 보고가 더 들어왔습니다."

"십삼매의?"

"아닙니다. 음…… 이곳 성도부에도 나름대로 실력이 있는 자들이 없지는 않나 봅니다."

"무슨 뜻이지?"

"인자(仁字) 제자들 두 명이 살해된 채 발견되었다고 합니다."

"그건 또 무슨 소리야?"

"서쪽 성문 못 미친 곳에 버려져 있었다고 합니다. 꽤 많은 자상(刺傷)이 전신에 새겨져 있었지만, 내가중수법의 일격이 그들의 사인(死因)이라고 합니다."

"내가중수법? 그런 걸 펼치는 자들이 이곳에 있다고?"

"아무래도 조금 더 주의하고 조심해야겠습니다. 제자들에게 그리 전하겠습니다."

"흠. 하기야 충렬과 충인, 충무들이 이곳 성도부에서 살해당했을 가능성이 농후한 상황. 내가중수법을 사용하는 이들 정도야 당연히 존재하겠지. 하지만 충격이기는 하군. 내가 직접 고르고 뽑은 본가 최고의 고수들인데, 겨우 흑방 놈들 뒤를 쫓다가 죽다니 말이지."

"그뿐이 아닙니다. 조금 전에는 한 명의 계집을 상대로 여섯 명의 제자들이 협력하여 싸워야만 했었다고 합니다."

"한 명의 계집?"

일순 제갈보광의 눈빛이 반짝였다.

"어찌 되었나, 결과는?"

"우리 측 아이들과 일각가량 치열하게 싸운 끝에 스스로 혀를 물고 죽었다고 합니다."

"이런, 반드시 살려 뒀어야지. 그 계집이 십삼매일 가능성이……."

"십삼매는 아닙니다. 안 그래도 혹시 해서 그 시신을 몇몇 성도부 사람들에게 확인시켜 보았습니다만, 다들 십삼매가 아니라고 증언했습니다."

"호오, 그럼 누구라고 하는가?"

"다들 처음 보는 여인이라고 했습니다. 아마도 타지에서 흘러들어왔다가 우연찮게 오늘의 소동에 말리게 된 무림인이 아닌가 싶습니다."

"그럴까?"

제갈보광은 고개를 갸웃거렸다.

왠지 등골이 싸했다. 느낌이 좋지 않았다. 처음 이 성도부에 발을 디뎌 놓을 때와는 전혀 다른 기분이었다.

지금 제갈보광이 이끌고 있는 무리는 곧 무적가 전력의 절반이라고 해도 과언이 아니었다.

가주 대리와 또 중신, 중진들을 제외한 고수들과 가신들, 그리고 제자, 수하들이 이곳에 있었다. 오백 명이라는 수는 결코 적은 수가 아니었다.

사실 무적가에는 일반적인 문회방파들과는 달리, 따로 당(堂)이니 단(團)이니 하는 조직이 존재하지 않았다.

대신 그들은 제자나 수하들에게 일정한 서열을 매기고 분류해서, 상급자는 필요에 따라 하급자를 차출하여 마음대로 부릴 수 있도록 만들었다.

무적가의 서열은 가주와 그 일족, 세가에 대한 경호 책임을 맡은 이들을 제외하면, 크게 삼신구백이십칠경백팔비일천팔십위(三神九伯二十七卿百八秘一天八十衛)로 구분되었다. 그중 최하위에 속하는 일천팔십위는 곧 무적가의 일반 제자들과 수하들을 의미했다.

비록 그 수가 타 거대 문파에 비해 적을지는 모르겠지만, 그 실력만큼은 가히 무적가의 일원이라 당당히 말할 수 있을 정도로 뛰어난 자들로 구성되었다.

백팔비는 무적가의 중심을 이루는 자들로, 하나같이 일당백의 무위를 지닌 인물들이었다.

그리고 이십칠경에 속하는 이들은 며칠 전 담우천과 일전을 겨뤘던 뇌력신권, 천수환비, 묵혼살객들과 엇비슷한 수준의 최절정 고수들로, 그들이야말로 무적가의 진정한 힘이라 말할 수 있었다.

일반적으로 강호에서 실력의 고하를 구별하는 판별법에 따르자면 이십칠경은 최소한 노경, 높으면 문경에 해당하는 자들이라 할 수 있었다.

이십칠경의 구성은 매우 독특하여서 그 안에는 장로급에 해당하는 노인들도 있었고, 서른 전후의 젊은이도 있었다.

즉, 그것은 나이나 배분보다는 실력이 우선되어야 타인의 존경을 받을 수 있다는 무적가 특유의 체계를 확실히 보여 주는 대목이었다.

그런 의미에서 구백은, 그리고 삼신의 무위는 가히 경천지동(驚天地動)의 경지에 올라 있다고 할 수 있었다. 제갈가문이 무적가라고 불리는 이유가 바로 삼신구백에 있었다.

제갈보광은 그 이십칠경, 백팔비, 일천팔십위 중에서 실력이 뛰어나고 충성심이 강하며 입이 무거운 자들만 선출하여 오백의 인원을 채웠다.

그리고 그 지휘자로는 가문의 일족 일곱 명과 새로 구성된 구백 중 세 명에게 맡겨서 각각 오십 명의 무리를 이끌게 했다.

그 엄선된 오백여 고수들을 이끌고 성도부에 들어설 때만 하더라도 제갈보광은 이날 하룻밤 내에 모든 걸 해결할 수 있을 거라는 자신감으로 가득 차 있었다.

남녕부의 하룻밤이 그러했던 것처럼 이곳 성도부 또한 하룻밤 사이에 모든 흑도방파가 괴멸당할 것이고, 결국 제갈보광 자신이 원하는 결말로 끝나게 되리라고 생각했다.

하지만 벌써 이 밤도 절반이나 넘게 흘렀다. 아무리 겨울밤이 길고 길다 하더라도 영원히 지속되는 건 아니었다. 이제 두 시진, 세 시진만 흐르면 해가 뜨고 날이 밝을 것이다.

낮은 밤과 달랐다.

낮은 황법이 살아 있었다. 밤의 거리와는 달리 대낮의 성도부는 관(官)의 규율과 법으로 지탱되고 있었다. 아무리 무적가가 천하에 거칠 것이 없다 하더라도 대놓고 살인을 자행하거나 만행을 저지를 수는 없었다.

굳이 이 한밤중에 상대에게 안대를 씌우거나 혹은 자신들이 복면을 써서 얼굴을 감춘 상태에서 일을 벌이는 것 역시 무적가라는 이름을 세상에 알리지 않기 위함이었다.

그러니 해가 뜨는 순간, 밝음 속에 그들의 전신과 얼굴과 이름이 드러나는 순간 그들은 모든 행사를 멈추고 숨어 있어야만 했다.

'왠지 박쥐 같군.'

제갈보광은 자조적으로 웃었다.

백도정파를 표명하면서도 대낮의 밝은 햇살을 피해 어둠 속에 몸을 감추고, 어둠이 세상을 지배할 때 비로소 거리로 나와 횡행하는 모습이 꼭 박쥐와도 같았다.

'어쩔 수 없지. 그리고 중요한 건 지금 내 체면이나 자존심이 아니지. 십삼매, 그리고 내 가문의 사람들을 해치운 자들을 잡는 것. 그것보다 중요한 게 어디 있을까?'

제갈보광은 잠시 생각하다가 다시 입을 열었다.

"서문 근처에 버려졌다는 시신들을 잘 챙겼지?"

"물론입니다. 한편으로 그 일대를 철저하게 수색, 그들을 살해한 자들을 뒤쫓고 있습니다."

"수하 몇 명에게 일러 시신들을 본가로 이송하도록."

"알겠습니다."

"자, 다들 집중하자. 날이 밝으려면 얼마 남지 않았다. 이 밤이 지나기 전에 모든 일을 끝내야 한다."

제갈보광의 말에 주변에 모여 있던 십여 명의 중년인들이 일제히 긴장하며 귀를 기울였다.

"지금 상황을 정리하면 세 가지 문제가 있다. 하나는 십삼매, 하나는 흑룡방 고굉, 그리고 나머지 하나가 바로 우리 아이들 둘을 죽인 자들이다. 물론 후자의 경우 제일 용서할 수 없는 놈들이겠지만, 정작 가장 중요한 인물은 십삼매라고 생각한다."

'아무리 생각해 봐도 이곳의 십삼매가 바로 가주와 소가주를 살해했던 그 십삼매일 가능성이 높으니까 말이지.'

제갈보광은 그렇게 속으로 생각하며 말을 이어 나갔다.

"지금부터 심삽매를 찾는 데 삼백의 인원을 투입한다. 성도부의 모든 백성들을 죽여도 상관없다. 필요하다면 지부대인도 고문할 수 있다. 반드시 이 밤 안에 그녀의 행적을 찾아내고 그녀를 내 앞에 데리고 와야 한다."

"알겠습니다."

"명심하겠습니다."

"그리고 백 명은 고굉의 추적에, 다른 백 명은 서문 사건에 투입하기로 한다. 인원 분배는 그대들끼리 논의해서 정하도록 하고, 무엇보다 체계적이면서도 유기적으로 연계하여 움직이도록 한다."

"존명."

"알겠습니다."

사내들이 모두 물러 갔다.

이제 객잔에는 제갈보광과 그의 시중을 드는 젊은 무인 두 명만이 남았다.

제갈보광이 술잔을 들자 재빨리 젊은 무인 하나가 다가와 술을 따랐다. 제갈보광은 변변한 안주 하나 없는 채로 술잔을 비웠다.

싸구려 술이 그의 목젖을 타고 미끄러져 갔다. 불이 붙은 것처럼 속이 뜨거워졌다. 그는 이 객잔에서 제법 많은 술을 마셨고 또 마시고 있는 중이었다.

하지만 그는 전혀 취하지 않았다.

그가 술을 마실 때마다 정수리 쪽에서 새하얀 연기 같은 것이 일어나 공중으로 사라졌다. 단지 내공의 힘만으로 주기(酒氣)를 몰아내고 있는 것이다.

이미 화후의 경지에 이른 내공. 이 제갈보광은 화군악이나 장예추나 설벽린은 도저히 꿈도 꾸지 못할, 그런 내공을 지니고 있었다.

그는 다시 젊은 무인이 술을 따르는 동안 가만히 창밖을 내다보았다.

어둠이 켜켜이 쌓여 있는 한적한 거리. 그 성도부의 밤거리를 가만히 지켜보던 제갈보광의 입에서 희미한 중얼거림이 새어나왔다.

"십삼매라……."

3. 타고난 천적

수문 위사들은 곧장 내당 입구로 달려갔다.

그들은 내당을 지키는 순찰당 무사들에게 상황 설명을 하기 시작했다. 순찰당 무사들은 황당한 이야기를 듣는다는 표정을 지으며 서로를 돌아보았다.

하기야 수문 위사들이 가져온 소식은 하룻밤 사이에 흑룡방이 괴멸당했다는 이야기였으니, 그걸 어떻게 믿을 수 있겠는가.

하지만 어쨌든 흑룡방주 고굉이 가지고 온 전갈이었다. 순찰당 무사들의 판단으로 함부로 재단할 수는 없는 일이었다.

그들은 곧 당직을 서고 있는 부당주에게 연락을 취했다.

이야기를 들은 부당주는 망설이다가 순찰당주를 깨웠다. 순찰당주 양위는 심각한 표정으로 이야기를 듣고는 곧바로 지시를 내렸다.

"고 방주를 위정전으로 모시도록 하라."

그렇게 지시를 내린 양위는 곧장 내당으로 달려가 강만리를 깨웠다. 그렇게 해서 한참 코를 골며 잠자고 있던 강만리가 자리에서 일어나 양위로부터 보고를 받은 건 고굉이 장원에 들어선 지 약 일각 후의 일이었다.

"믿을 수 없군."

강만리가 엉덩이를 긁적이며 중얼거렸다. 예예가 차를 내오며 말했다.

"하지만 고 방주가 우리에게 헛소리를 할 사람은 아니잖아요?"

양위도 고개를 끄덕이며 말했다.

"저도 솔직히 믿기 어렵습니다만 고 방주가 굳이 그런 거짓말을 하러 이 한밤중에 예까지 달려오지는 않았을 거라고 생각했습니다."

강만리는 잠시 생각하다가 빠르게 지시를 내렸다.

"우선 다른 형제들을 모아 위정전으로 보내 주게. 야래향, 마고, 유 사부께도 소식을 전해 주고."

강만리는 다시 예예를 돌아보며 말했다.

"임자도 내당 사람들을 모두 불러서 청풍각에 모여 있게. 아이들 챙기는 거 잊지 말고."

그러고는 서둘러 옷을 챙겨 입은 다음 고굉이 기다리고 있는 위정전 앞으로 달려갔다.

초조하고 불안한 표정을 지은 채 위정전 입구에서 서성거리고 있던 고굉이 그를 보고는 한숨을 쉬며 축 늘어졌다. 긴장이 풀린 것이다.

"멍청하게시리 지금까지 밖에서 기다리고 있었나? 자, 안으로 들어가세."

강만리는 고굉과 고굉의 심복들과 함께 대청으로 들어섰다. 수문위사들이 화톳불을 가져왔다. 문을 닫자 실내는 금세 훈훈해졌다.

고굉은 한결 살 것 같다는 표정을 지으며 입을 열었다.

"흑룡방이 괴멸했습니다, 형님."

강만리는 차분하게 말했다.

"우선 차를 마시면서 몸 좀 녹이게. 자세한 이야기는 내 형제들이 오면 그때 하기로 하고."

"하지만 한시가 급합니다. 놈들이 언제 이곳까지 쳐들어올지 모릅니다."

"안심해도 좋아. 그들이 누구인지는 모르겠지만, 이 화평장은 무적가와 철목가의 공격을 막아 냈을 정도로 안전하니까 말이네."

강만리의 말에 고굉의 눈이 휘둥그레졌다.

무적가와 철목가의 공격을 받았다니, 처음 들어 보는 이야기였던 게다.

하지만 곧 그는 길게 안도의 한숨을 내쉬었다.

'역시 내 생각이 옳았다. 십삼매의 안가가 아니라면 바로 이곳이 제일 안전한 곳이다.'

그제야 조금 여유가 생긴 고굉은 차를 홀짝거리면서 입을 열었다.

"그런데 무적가와 철목가와는 왜 싸우게 된 겁니까?"

"자네가 그런 것까지 알 필요는 없네."

"서운합니다. 그래도 저 또한 형님의 의제(義弟)가 아닙니까? 혹도 사람이라고 너무 괄시하는 것 같습니다."

"괄시는 무슨 괄시. 아, 사람들이 오는군."

강만리는 대청 입구로 시선을 돌렸다.

양위의 연락을 받은 형제들이 하나둘씩 들어서고 있었다. 다들 자다가 막 일어난 상황이었지만 눈빛은 예리했고, 표정은 딱딱하게 굳어 있었다.

고굉은 들어오는 이들과 일일이 인사를 나누다가 마지막으로 들어온 여인을 보고는 눈이 휘둥그레졌다.

'응? 이 여인은?'

화평장에서는 처음 보는 여인이었지만 왠지 낯이 익었다. 분명 어디에선가 마주쳤던, 대화를 나눈 적이 있는 것만 같았다.

하지만 여인, 아란은 그를 알은척도 하지 않고 가볍게 고개를 끄덕이는 인사를 하면서 자리에 앉았다.

사람들이 모두 자리에 앉자 강만리가 그들을 둘러보며 입을 열었다.

"대충 이야기는 전해 들었겠지?"

화군악이 빠른 어조로 말했다.

"양 당주로부터 이야기는 들었지만 쉽게 믿어지지가 않습니다. 천하에 어느 조직이 있어서 흑룡방을 하룻밤 만에 괴멸시킨다는 말입니까?"

고굉이 정정해 주었다.

"흑룡방뿐만 아니라 칠성방도 당했다오."

"그게 정말입니까?"

"왜 내가 거짓말을 하겠소. 이건 모두 십삼매가 보낸 사내가 이야기해 준 것이오."

고굉은 그 평범한 사내로부터 들었던 이야기를 하나도 남김없이 전했다.

사람들은 진중한 표정으로 그의 말에 귀를 기울였다. 십삼매마저 지하로 숨어들었다는 말에 대부분 사람들의 표정이 얼음처럼 딱딱해졌다.

"믿을 수 없군."

강만리는 고개를 저으며 중얼거렸다.

그는 십삼매의 무서움에 대해서 잘 알고 있었다. 아니, 좀 더 정확하게 말하자면 십삼매의 주변에 포진한 자들의 무위에 대해서 다른 누구들보다 자세히 알고 있었다.

비록 십삼매는 무공을 펼칠 줄 몰랐지만 그녀의 주위에는 황계 최고 무위를 지닌 황백(黃伯)들, 그중에서도 최고의 실력자들인 십이백야(十二伯爺)가 버티고 있었다.

어디 그뿐인가.

거기에다가 세상에는 고리대금업자라고만 알려진, 하지만 알고 보면 유령교의 이인자인 허 노야의 호위들도 몇 명 따라붙어 있었다.

즉, 싸움이라면 십삼매 측도 결코 물러나지 않아도 되는 전력을 지니고 있었다.

그런 그녀가 지금 지하로 숨어들었다는 것이니, 반대로 말하면 그만큼 적의 무위가 강력하다는 의미라 할 수 있었다.

"혹시 우리에게 전하는 말은 없었습니까?"

강만리가 상념에 젖은 동안 화군악이 고굉에게 물었

다. 고굉은 고개를 저으며 말했다.

"아니, 아무런 말도 없었소."

"그럼 고 방주께서 이리로 오신 건?"

"모두 내 독단적인 판단이었소. 이곳이 가장 안전……
아니, 가장 위험하지 않을까, 조금이라도 빨리 이 사실을
전해 줘야 하지 않을까 해서 내 은신처를 포기하고 달려
온 것이오."

고굉은 차마 '이곳이 가장 안전할 것 같아서 피신해 왔
다'라고 말할 수가 없었다. 그래서 황급히 머리를 굴려
말을 바꾼 것인데 의외로 사람들의 평가가 좋았다.

"역시 고 방주이십니다. 그 위험한 상황에서 우리까지
생각해 주시다니."

"알고 보면 진짜 사내라니까요."

"흠, 그리 안 봤는데 말이지."

화군악을 비롯한 사람들이 일제히 고개를 끄덕이며 고
굉의 용기와 판단에 대해서 칭찬했다.

고굉은 헛기침을 하며 다시 입을 열었다.

"당연한 일을 했을 뿐이오. 과거야 어찌 되었든 지금은
내 의형이니 말이오."

그때 잠자코 혼자만의 상념에 젖어 있던 강만리가 불쑥
입을 열었다.

"우리도 피해야 할 것 같다."

일순 사람들이 눈을 휘둥그레 뜨며 강만리를 돌아보았다. 장예추가 의아하다는 얼굴로 물었다.

"피하다니요? 여길 버리고요?"

화군악도 말했다.

"아니, 세상에 이곳 화평장보다 더 안전한 곳이 어디 있다고요?"

설벽린도 말했다.

"지난 몇 개월 동안 헌원 노대와 함께 꾸준히 작업했습니다. 설령 오대가문이 몰려온다 하더라도 충분히 막아낼 준비가 되어 있습니다."

"무시하지 마라."

강만리가 무뚝뚝하게 말했다.

"오대가문의 역량을 결코 과소평가하지 마라. 우리가 아무리 발버둥을 쳐도 아직 오대가문 중의 한 곳도 제대로 상대할 수 있는 수준이 안 된다."

그의 말에 화군악이 "에이." 하며 웃었다.

"외려 형님께서 그들을 너무 과대평가하고 계십니다. 그리고 우리를 과소평가하는 거고요. 안 그렇습니까, 담 형님?"

화군악은 담우천을 돌아보며 물었다. 당연히 그렇다는 대답이 나올 것이라고 기대하는 얼굴이었다.

하지만 의외로 담우천의 얼굴은 딱딱하게 굳어 있었

고, 쉽게 대답이 나오지 않았다.

화군악이 당황해했다.

"설마 형님도 강 형님과 같은 생각이십니까?"

그의 거듭된 질문에 담우천은 잠시 망설이다가 조심스럽게 입을 열었다.

"강 아우의 말이 맞다."

일순 화군악은 입을 쩍 벌렸고, 설벽린 또한 상당히 충격을 받은 얼굴이었다. 그런 가운데 담우천의 말이 계속해서 이어졌다.

"예를 들어 무적가와 전면전이 일어난다면 물론 당연히 우리가 패배할 것이다. 우리가 저들보다 앞서는 건 기습이고 암습인 거지, 정면으로 맞부딪친다면 역시 저들과 몇 수의 차이가 날 게야."

"하, 하지만 형님."

화군악이 억지로 입을 열었다.

"일전에 우리는 무적가 사람들과 철목가 무사들을 한꺼번에 몰살시키지 않았습니까? 거기에다가 형님은 혼자서 무적가 가주와 소가주를 해치웠잖습니까?"

"응? 그건 또 무슨 말이오?"

고굉이 깜짝 놀라 끼어들었다.

"그럼 일전에 병사(病死)했다고 알려졌던 무적가 가주와 소가주가 실은 병사가 아니라 귀공들에게 살해당한 것이란 말이오?"

"아, 그 이야기는 나중에 해 드릴게요. 우선 급한 건 이쪽이라고요."

"아니, 그게 아니지. 그러니까 어쩌면 말이지, 지금 이 한밤중에 벌어지고 있는 모든 사건들이 어쩌면 모두 당신들 때문에 일어나고 있을지도 모른다는 거잖아? 응? 내 흑룡방이 괴멸당하고 피와 살 같은 내 수하들이 몰살한 게 모두 네놈들 때문일 수 있는 거잖아?"

고굉은 악에 받친 듯 조금 전과는 달리 이놈 저놈 하며 마구 욕설을 퍼부었다. 화군악을 비롯한 다섯 형제들, 그리고 심지어 아란마저 눈살을 찌푸렸다.

화군악이 답답하다는 듯이 말했다.

"그러니까 저들이 무적가나 철목가 무사들인지 아닌지 아직 모르지 않습니까?"

"모르기는 뭘 몰라? 천하에 그들 아니고서야 단 하룻밤 만에 성도부 모든 흑도방파를 괴멸시킬 정도의 전력을 지닌 조직이 얼마나 된다고?"

소리치던 고굉은 문득 깨달았다는 듯이 자리에서 벌떡 일어나 강만리를 노려보며 부르짖었다.

"그래! 왜 네놈이 호원무사를 증원했는지 이제야 알겠다! 왜 저 개자식들이 미친 것처럼 날뛰며 성도부 전체를 몰살시키려 드는지 이제야 알 것 같네."

그는 콧바람을 씩씩거리며 고함을 내질렀다.

"그러니까 네놈들이 먼저 잠자는 사자의 코털을 건드렸던 거지! 응, 그랬던 게야! 그래서 놈들이 복수를 하러 나선 게고! 하지만 네놈들이 거북이처럼 납작 엎드려 있으니까 저 개자식들이 뭐든 걸려들어 봐라, 하고 마구잡이로 날뛰고 있는 게 아니냐고!"

"마구잡이로 날뛰는 건 네놈이다."

강만리가 한숨을 쉬며 말했다.

"죽기 싫으면 입 다물고 앉아라."

일순 고굉의 심복들이 일제히 무기를 꺼내 들었다.

하지만 강만리나 형제들은 눈 하나 깜빡하지 않았다. 강만리는 좁쌀만 한 눈으로 고굉을 쳐다보며 말했다.

"너, 많이 컸다. 감히 내 앞에서 눈을 크게 뜰 줄도 알고."

고굉은 본능적으로 움찔했다.

그가 쥐라면 강만리는 고양이였고, 그가 개구리라면 강만리는 뱀이었다.

타고난 천적.

지금이야 고굉도 흑룡방의 방주가 되어 큰소리치고 다니는 상황이었지만, 상대는 어디까지나 그를 쥐 잡듯 감옥에 잡아넣었던 전직 포두 강만리였던 것이다.

고굉은 애써 강만리를 노려보다가 불쑥 입을 열었다.

"뭣들 하느냐? 무기 집어넣지 않고. 그래도 형님들이 계시는 자리다. 함부로 날붙이 꺼내 드는 거 아니다."

그의 말에 심복들이 무기를 거둬들였다. 고굉은 천천히 자리에 앉으면서 말했다.

"어쨌든 납득할 만한 해명을 해 주지 않으신다면 두 번 다시 형님으로 모시지 않을 거요!"

"차라리 그랬으면 좋겠다. 나도 너 같은 동생 두기 싫으니까 말이지."

강만리는 다시 한숨을 내쉬며 투덜거렸다.

"하여튼 여우 같은 십삼매라니까."

2장.
조여드는 그림자

그는 적들과 마주한 상황에서도
한편으로는 아내를 걱정하고 아들을 떠올렸다.
언제든지 몸을 돌려 그들에게로 달려갈 준비를 하고 있었던 것이다.
그게 싫었다.

1. 하품하는 고양이

흠묘(欠猫)는 하품하는 고양이라는 뜻이다.

그녀, 흠묘는 고양이와 같았다. 소리 나지 않게 사뿐사뿐 걸었으며 어디든 올라가고 뛰어내렸다.

또한 어떤 좁은 구멍이나 틈새라 하더라도 매끄럽게 빠져나갈 수 있었으며, 고양이처럼 어둠 속에서도 사물을 제대로 파악하는 능력을 지녔다.

하지만 그녀는 더 이상 접근하지 못하고 있었다. 십삼 매의 거처로 향하는 골목길은 온통 괴인들의 냄새와 흔적으로 가득 차 있었다.

'오십 명? 백 명?'

그녀는 낮은 코를 찡긋거리며 그 수를 헤아리다가 포기했다. 이런 상황이라면 아무리 그녀가 고양이 같다 한들, 발각되지 않은 채 접근하는 건 불가능한 일이었다.

그녀는 머뭇거리다가 몸을 돌렸다. 순간 그녀는 본능적으로 몸을 움찔거리더니 재빨리 허공으로 도약, 처마 아래쪽에 몸을 숨겼다.

뒤늦게 그녀가 있던 자리로 누군가 다가오는 기척이 들렸다. 두 명의 사내들이었다. 검은 무복에 검은 복면으로 얼굴을 가리고 있어서 얼굴은 물론 청년인지 중년인지도 알아내기 힘들었다.

하지만 그녀는 냄새만으로 저들이 중년인이라는 걸 알아차렸다.

그녀가 맡는 소년의 냄새와 청년의 냄새, 중년의 냄새는 제각각 달랐다.

일반적으로 나이가 어린 사내일수록 좋은 체취가 흘러나왔다. 달콤하면서 신선한 과일과도 같은 냄새. 나이가 들어 가면서 그 냄새 대신 조금 더 끈끈하고 육정적인 냄새가 난다. 반면 늙은 자들에게서는 코가 썩는 듯한 악취가 풍긴다. 그건 아무리 목욕을 하고 몸을 깨끗하게 관리한다 할지라도 어쩔 수 없는 체취였다.

물론 가끔은 나이 든 자들에게서도 그녀의 아랫도리를 끈적거리게 만드는 냄새가 풍기곤 했다. 하지만 그런 경우는 거의 백에 한 번 있을까 할 정도의 확률에 불과했다.

흠묘가 처마 아래쪽으로 몸을 숨긴 순간이었다.

"뭔가 있었던 것 같은데?"

한 사내의 말에 다른 자가 고개를 끄덕였다.

"나도 기척을 느꼈네."

'내 기척을 알아차린 거야?'

흠묘는 깜짝 놀랐다.

이렇게 최선을 다해, 모든 노력을 다해서 자신의 흔적과 기척을 지우고 있음에도 불구하고 저들은 찰나의 방심 사이에서 흘러나온 그녀의 기척을 놓치지 않았다.

그녀는 더욱 긴장하고 더욱 조심했다.

"고양이일지도 몰라."

사내가 말했다.

"그럴지도 모르겠네. 안 그래도 도둑고양이들이 많기는 하더군."

"이 추운 한밤중에 뭐 하러 돌아다니는지 모르겠어. 가서 잠이나 잘 것이지."

"뭔 소린가? 고양이는 야행성 동물이니까 밤에 돌아다니는 게 당연하지."

"응? 우리 집 고양이는 틈만 나면 졸던데? 밤이나 낮이나 가리지 않고?"

"음, 그렇기는 하지. 뭐 어쨌든…… 십삼매라는 계집,

진짜로 존재하는 게 맞기는 맞나?"

고양이의 논쟁에서 진 사내는 황급히 화제를 돌렸다.

"이렇게 샅샅이 뒤지고 있는데도 전혀 그 행적을 알 수가 없으니."

다른 자도 맞장구를 쳤다.

"그러니까 말일세. 한시라도 빨리 잡히는 게 성도부 사람들을 위해서라도 좋은 일인데 말이지. 이러다가 성도부 백성들 다 죽어나겠어."

"이 골목길의 유곽만 하더라도 그렇잖아? 한 백여 명 되던가? 그 계집들, 모두 목숨을 잃게 되었으니까."

순간 몸서리쳐질 정도로 격한 피비린내가 갑자기 흠묘의 코를 향해 와락 덮쳐들었다.

그녀가 저도 모르게 움찔거린 순간, 처마 끝에 매달려 있던 고드름이 떨어졌다.

두 명의 사내가 고개를 들었다.

흠묘는 황급히 공중제비를 돌 듯 처마 위로 몸을 날렸다. 어두운 밤 희미한 달빛 사이로 사내들이 그 모습을 봤다. 동시에 두 사내가 지붕 위로 솟구쳐 올라왔다.

하지만 흠묘는 벌써 그 자리에 없었다. 이미 그녀는 어둠 속에 몸을 숨긴 채 공간과 허공을 가로질러 몇 개의 지붕을 한꺼번에 뛰어넘으며 사라진 후였다.

두 명의 사내를 주변을 둘러보다가 어느 한 방향을 동

시에 지목했다.

"저쪽이다!"

"저 방향이군."

두 명은 곧바로 그 방향을 향해 쏜살처럼 몸을 날리는 동시, 길게 휘파람을 불었다.

하지만 이 골목가에서 그들의 휘파람 소리를 들은 이는 없었다. 대신 잠들어 있던 개들이 요란하게 짖었고, 수십 마리의 쥐들이 떼를 지어 집 밖으로 달려 나오는 진풍경이 벌어졌다.

그들의 휘파람은 일반 사람들의 귀에는 들리지 않을 정도로 높은 음역대의 소리였다. 그러나 동료들에게는 그 의미가 똑바로 전달되어 사방 백여 장 밖까지 퍼져 나가면서 벌어진 일이었다.

물론 흠묘도 그 휘파람 소리를 들을 수 있었다. 어쨌든 그녀도 제대로 훈련된 추격자였고, 또 상당한 내공을 지니고 있었으니까.

비록 휘파람만으로 그 의미는 파악할 수 없었지만 그래도 흠묘는 대충 짐작할 수 있었다. 지금 자신을 쫓고 있는 중이며, 또한 동료들에게 자신을 쫓으라고 연락을 하는 것이리라고.

흠묘는 빠르게 지붕 위를 내달리며 힐끗 뒤를 돌아보았다.

제대로 보이지는 않지만, 어둠과 어둠이 켜켜이 쌓여 있는 공간 저편에서 무언가가 무시무시한 속도로 그녀를 뒤쫓아 오고 있었다.

아까 그 풍겨 오는 체취가 그리 좋지 않던 두 명의 중년인들일 것이다.

어디 그뿐인가. 사방에서 휙휙! 하는 파공성이 일었다. 그리고 그 소리들, 냄새들은 흠묘가 도망치고 있는 방향으로 모여들고 있었다.

'난리 났네.'

흠묘는 입술을 핥았다.

맡은 바 임무도 해내지 못한 상황에서 적들에게 발각되어 쫓기고 있는 이 상황은, 그녀가 무공을 익힌 이후로 처음 겪는 상황이었다.

하지만 그녀는 당황하지 않았다.

어디까지나 이곳은 성도부였고, 성도부는 그녀의 안방과도 같았다. 아무리 놈들이 뛰어나고 절륜한 무공을 지녔다 하더라도 그녀를 끝까지 뒤쫓아 오지 못할 것이다.

그녀는 고양이가 사뿐 도약했다가 소리 없이 착지하는 것처럼, 지붕에서 지붕으로 몸을 날리며 방향을 틀었다.

그렇게 크게 우회했다가 다시 좌측의 골목길로 뛰어든 후 그녀는 곧바로 숨을 크게 들이마셨다. 주변에서 풍기는 냄새는 전혀 없었다. 기척도 없었다.

'됐다.'

그녀는 방긋 웃었다.

놈들은 완벽하게 따돌린 것이다. 언제나 그러했던 것처럼 말이다.

그녀는 가볍게 어깨를 으쓱거리고는 이내 미로처럼 사방으로 길이 뻗어 있는 골목 안쪽으로 자취를 감췄다.

"고양이 같은 계집이다."

"우리의 냄새로 기척을 확인하는 것 같아. 반경 이십여 장 밖에서 은밀하게 지켜보도록. 미행하는 조(組)들을 계속해서 바꾸면서 그녀의 이목을 분산시키도록."

"골목 안쪽으로 움직인다. 그쪽에 누가 있지?"

"잠영백(潛影伯)이 계십니다."

"좋아, 바로 신호를 보내도록. 자, 이제 우리도 움직이도록 하지."

중간에서 흠묘의 행적을 놓친 것처럼 보였던 이들이 다시 방향을 틀어 빠르게 몸을 날렸다. 조금 전 흠묘가 크게 우회하여 사라졌던 바로 그 방향이었다.

* * *

안 봐도 뻔한 일이었다.

고굉에게는 피하라는 연락을 주면서 강만리들에게는 아무 전갈도 보내지 않은 그녀의 의도는 너무나도 뻔했다.

"어디 한번 골탕 먹으라 이건가?"

화군악이 투덜거렸다.

그에 강만리는 엉덩이를 긁적거리며 고개를 저었다.

"그럴 수도 있지만 그렇게까지 쩨쩨한 녀석은 아니니까."

"그럼 형님의 생각은 뭔데요?"

"고굉을 이리로 보낼 작정이었던 게야."

"네?"

"저 녀석, 십삼매의 전갈을 전해 듣자마자 그녀의 은신처에 대해서 물어봤을 거야. 그녀가 있는 곳이야말로 이 성도부에서 가장 안전하게 몸을 숨길 수 있는 곳이라고 생각했을 테니까."

"허험."

강만리의 지적에 고굉은 헛기침을 하며 시선을 외면했다.

강만리의 말이 계속해서 이어졌다.

"하지만 십삼매가 자신의 은신처를 가르쳐 줄 리 만무하고. 결국 저 녀석은 그다음으로 안전한 곳을 떠올리다가……."

"이곳을 찾아온 거로군요. 우리와의 의리를 생각해서가 아니라 말이죠."

"허험!"

화군악의 말에 고굉은 크게 헛기침을 하며 입을 열었다.

"너무 과한 추측이십니다. 그리고 이 아우의 의리를 너무 무시하는 발언이시고요."

"내 추론이 언제 틀린 적이 있던?"

"그, 그야……."

"뭐, 그건 그렇다 치고요. 왜 십삼매가 고 방주를 이곳으로 보내려 했을까요?"

"두 가지 이유에서겠지. 하나는 그를 통해 이 밤의 변괴에 대해 알리고자 했을 터이고, 다른 하나는 고굉을 안전하게 지켜 달라는 부탁도 동시에 한 거겠지."

"이해가 가지 않는데요?"

설벽린이 고개를 갸웃거리며 물었다.

"첫 번째 이유는 나름대로 타당하지만, 두 번째는 전혀 그 뜻을 알지 못하겠습니다. 왜 우리가 저자의 안전을 지켜 줘야 합니까?"

"어허, 설 형! 그렇게 말하면 내가 섭섭하지."

"언제 봤다고 말을 놓는 거요, 놓기는?"

"정말 이렇게 대접하기인가, 응? 내가, 이래 봬도 자네들 형님인 강만리와 호형호제 하는 사이야! 같이 밥도 먹고, 응? 같이 생사의 고비도 함께 넘긴 사이야! 그러니 굳이 따지자면 자네들 또한 내 아우들이 되는 셈인데, 이렇게까지 내게 모욕을 주고 싶은 건가?"

고굉이 씩씩거리며 소리쳤다.

"됐다. 그만해라."

강만리가 손을 저었다.

"하지만 형님······."

"그만하자, 응?"

"네, 형님."

고굉은 강만리가 자신을 쳐다보자 온순하게 대답했다. 그의 표정은 한결 부드러워졌다. 하지만 속으로는 부글부글 끓어오르는 화를 억지로 참고 있었다.

'성질 같아서는 진짜······.'

"자, 이제 대충 상황을 파악하게 되었으니 어떻게 대비를 해야 할지 의견을 모아야겠지. 물론 나는 빠른 시간 안에 이곳을 떠나 좀 더 안전한 곳으로 옮겼으면 싶은데."

강만리의 말에 담우천이 입을 열었다.

"여기보다 더 안전한 곳이 있던가?"

강만리는 망설이다가 대답했다.

"십삼매가 숨어 있는 곳이요."

일순 사람들의 표정이 달라졌다.

화군악과 설벽린은 대놓고 싫은 표정을 지었다. 장예추

또한 내키지 않은 듯한 얼굴이었다. 반면 아란과 담우천은 별다른 표정의 변화가 없었다.

물론 대청에 있는 사람들 중에서 가장 표정 변화가 큰 사람은 고굉이었다.

"찬성입니다! 당장이라도 그곳으로 옮기죠! 역시 형님이십니다. 어떻게 저와 생각이 딱 맞는지……."

"너."

강만리가 나직하게 말했다.

"내가 입을 열라고 할 때까지 입을 다물고 있어."

"혀, 형님……."

"지금부터."

강만리의 무뚝뚝한 말에 고굉은 고개를 끄덕이고는 바늘로 입을 꿰매는 듯한 시늉을 했다.

그 모습을 본 아란이 킥킥 웃자, 고굉이 그녀를 노려보다가 고개를 갸웃거렸다.

'분명 어딘가에서 봤는데 말이지.'

"반대입니다, 저는."

고굉이 입을 다문 것으로 조용해진 틈을 타 설벽린이 고개를 저으며 말했다.

"제가 왜 이렇게 열심히 화평장을 손보고 고쳤는데요? 다 십삼매, 그녀의 품에서 벗어나기 위해서였습니다. 그런데 막상 위급한 상황이 되자 다시 그리로 돌아가자고요? 아니요. 아닙니다. 차라리 예서 죽겠습니다."

그는 한없이 결연한 표정으로 말을 맺었다.

사람들의 얼굴이 다시 한번 굳어졌다.

막 강만리가 입을 열려는 순간이었다. 조심스레 대청의
문이 열리고 내당의 시녀가 들어왔다.

사람들의 시선이 그녀에게 쏠렸다. 시녀는 살짝 얼굴을
붉히며 말했다.

"내당에서 여러 장주님들을 뵙자고 하시는데요."

강만리가 가볍게 말했다.

"이따가 찾아뵙겠다고 말씀드려라."

"지금 당장 모셔 오라고 하셨어요."

"누가? 누가 함부로 오라 마라 하는데?"

화군악이 눈살을 찌푸리며 묻자, 시녀는 조금 겁에 질
린 표정으로 대답했다.

"두 분 대부인들과 유 노야께서요."

사내들은 서로를 돌아보았다.

2. 가장의 책임감

"대충 소식은 전해 들었다. 듣자 하니 상황이 매우 엄
중하거늘, 어찌 너희들끼리만 모여서 의견을 나누려 하

느냐? 우리는 꿔다 놓은 보릿자루들이더냐?"

빙혼마고가 싸늘하게 말했다.

"이번에는 마고 말이 맞네. 어려울수록 머리를 합하고 의견을 모아야지. 하나의 머리보다는 다섯의 머리가 낫고, 다섯 보다는 열의 머리가 나은 법이니까."

야래향도 좀처럼 볼 수 없는 냉랭한 표정을 지은 채 이야기했다.

"실망이야, 실망. 그래도 그동안 독단적으로 일을 처리하는 것 같지 않아서 보기 좋았거늘. 설마 사내들 다섯이 모여서 정하는 건 독단적이지 않다고 생각했더냐? 자네들만큼, 아니 자네들보다 더 뛰어난 지혜를 지닌 여인네들의 조언과 생각은 전혀 필요 없다는 것이냐?"

유 노대의 말에 아란이 활짝 웃으며 끼어들었다.

"저도 있었어요, 유 사부."

유 노대는 그녀를 힐끗 보고는 입을 다물었다. 왠지 그녀를 꺼려 하고 어려워하는 기색이 언뜻 보였다.

"미처 거기까지는 생각하지 못했습니다. 차후로는 이런 실수를 저지르지 않을 테니 화를 푸세요."

강만리가 사과했다. 화군악도 웃으며 말했다.

"실은 외인(外人)이 있는 자리라 내당에서 모이기가 께름칙했답니다. 그러니 용서해 주세요."

고굉이 발끈했다.

"나를 외인이라고 생각하면 안 된다니까."

그는 재빨리 빙혼마고와 야래향을 향해 허리를 숙이며 말했다.

"계속해서 만나 뵙고 인사드리고 싶었으나 이제야 겨우 정식으로 인사드리게 되었습니다. 흑룡방의 방주 고굉이라고 합니다. 일전 원단 때 비단 옷과 모자를 선물했던……."

"아, 기억하네. 정말 비싼 물건을 보냈더군. 고맙네."

"두 어르신께 딱 어울릴 거라고 생각했는데, 지금 보니 외려 제 선물이 미약하게 느껴질 정도로 아름다우십니다."

"이 늙은이에게 아름답다는 말을 하다니, 정말 오래간만에 들어 보는군그래."

빙혼마고가 웃으며 말하자 고굉은 그 틈을 타서 재빨리 입을 열었다.

"저는 강 형님과 도원결의를 맺은 의제(義弟)로, 현재 밖에서 벌어지고 있는 지옥 같은 상황 속에서도 어떻게든 형님과 화평장 가족들의 안전을 지키기 위해서 달려왔습니다. 그런데도 외인이니 타인이니 하는 소리를 들을 때면 너무나도 가슴이 아파 견딜 수가 없습니다."

빙혼마고가 혀를 차며 화군악을 노려보았다.

"네가 잘못했구나."

"마, 마고."

화군악은 어이가 없었다.

고굉은 지금 이 대청의 분위기를 통해 화평장의 실질적인 주인이 곧 저 두 중년 여인임을 직감했던 것이다. 그래서 혀에 꿀을 바른 것처럼 온갖 달콤하고 부드러운 말로 야래향과 빙혼마고의 환심을 사고자 했다.

화군악이 어이가 없어한 것은 그 속이 뻔히 들여다보이는 고굉의 말과 행동에 야래향과 빙혼마고가 고스란히 속고 있다는 사실이었다.

'허어, 그동안 강호를 떠나 있었더니 이제 평범한 노인네들이 되어 버렸네.'

화군악은 속으로 탄식하며 중얼거렸다.

그때 그의 아내 정소흔이 차분한 어조로 입을 열었다.

"지나간 일은 지나간 것, 어쨌든 앞으로의 상황과 그 대처 방안에 대해서 이야기를 하죠. 여섯 분들의 의견은 어떻게 정리가 되었나요?"

화군악이 당황하며 대답했다.

"아? 응. 강 형님은 이곳을 떠나 십삼매의 은신처로 옮기자고 하셨고, 설 형님은 절대 반대한다고 하시던 참이었어."

일순 예예가 강만리를 노려보듯 쳐다보았다. 강만리는 애꿎은 헛기침을 하면서 엉덩이를 긁적였다.

아란이 말했다.

"보아하니 여기 계신 대부분의 분들께서 십삼매에 대해서 반감을 가지고 있나 보네요."

지금 대청에는 네 쌍의 부부와 한 쌍의 동거인(?), 그리고 두 명의 중년 여인과 두 명의 노인, 그리고 고굉이 자리하고 있었다. 그중에서 지금 표정이 마땅치 않아 보이는 이들의 수가 여덟이 넘었다.

"그 속사정이야 잘 모르겠지만 어쨌든 이곳보다 더 안전한 곳이 있다면 아이들을 생각해서라도 움직이는 게 낫지 않겠어요?"

아란은 냉정하고 이성적으로 말했다.

'그래. 바로 그게 내 생각이다.'

강만리가 무심코 고개를 끄덕이다가 예예의 시선을 느끼고는 얼른 정색하며 딴청을 피웠다.

"그 말에도 나름 일리가 있지만 크게 두 가지 오류가 있습니다."

지금껏 거의 입을 열지 않고 잠자코 이야기만 듣고 있던 장예추가 오래간만에 말을 꺼냈다.

"하나는 과연 십삼매가 있는 곳이 이곳보다 안전한지 알 수 없다는 점입니다. 과연 진짜 그곳이 이곳보다 더 안전할까요?"

아란이 어깨를 으쓱거리며 대답했다.

"그야 저는 잘 모르죠. 강 장주가 그리 말했으니까요."

무림오적 다섯 사내들의 호칭이 장주로 통일되면서 아란 또한 그들을 장주로 불렀다.

아무리 얼굴 두껍고 오지랖 넓은 그녀라 하더라도 확실히 오라버니 운운하는 것보다는 장주라는 호칭이 훨씬 더 마음 편했다. 무엇보다 설벽린을 대하기에도 그랬고.

아란의 대답으로 인해 사람들의 시선이 자신에게로 쏠리자 강만리는 머쓱한 표정을 지으며 입을 열었다.

"어디가 더 안전한지 일부러 재 본 적이 없으니까 정확하게는 알 수가 없습니다. 단지 그쪽에는 황계의 많은 고수들이 있고, 또 이런 상황을 미리 가정하고 준비해 둔 안가들이 여럿 있을 테니까 했던 말입니다."

화군악이 고개를 끄덕이며 말했다.

"맞아요. 황계는 늘 이런 상황을 대비해서 여러 곳의 안가를 준비하죠. 어렸을 때 저도 그 안가 중 한 곳을 이용한 적이 있었어요."

야래향도 기억이 난다는 듯이 고개를 끄덕였다. 화군악의 말이 계속해서 이어졌다.

"하지만 그곳이라고 해서 완벽하게 안전한 건 아니에요. 결국에는 제가 숨어 있던 안가가 들통이 나서 또다시 쫓기는 몸이 되었으니까요."

화군악은 잠시 기억을 더듬고는 다시 말을 이어 나갔다.

"돌이켜 보면 그곳의 방어 체계가 그리 대단한 것도 아니었어요. 그저 숨기듯 안가를 꾸미고 주변에 진을 쳐서 외부인들이 출입을 하지 못하게 만들었을 뿐이에요. 외려 이곳 화평장이 훨씬 더 안전하게 잘 설계되어 있어요."

"당연하지! 나와 헌원 노대의 피땀이 어려 있는 곳인데. 안 그렇습니까, 헌원 노대?"

설벽린은 구석진 자리에 끼어 있듯 앉아 있는 헌원중광을 돌아보며 물었다. 헌원중광은 이런 자리가 불편하다는 표정을 지으면서 겨우 고개를 까닥이는 것으로 자신의 의사를 표시했다.

강만리는 엉덩이를 긁적거리다가 한숨을 쉬며 물었다.

"그럼 네 생각은 역시 이곳에서 버티자, 이건가?"

"그렇습니다."

설벽린은 단호하게 말했다. 하지만 그는 곧 강만리의 눈치를 살피며 말을 이었다.

"이곳에서 저들의 동태를 주시하다가 만에 하나 진짜 큰 전투가 발발하게 된다면 그때는 따로 십삼매에게 원군을 요청해도 되지 않겠습니까?"

화군악이 고개를 끄덕였다.

"그게 가장 이치에 합당한 것 같습니다."

다른 자들도 잠시 생각하다가 설벽린의 의견에 동의한

다고 한마디씩 말했다. 야래향과 빙혼마고는 물론이거니
와 예예와 당혜혜를 비롯한 여인네들 또한 그리 대답했다.
'답답하구나.'
강만리는 속으로 한숨을 내쉬었다.
'가장 좋은 방어라는 건 결국 싸우지 않고 끝나는 거다.
그래서 최대한 안전한 곳으로 대피하자는 것이지. 하지
만 지금 이들은 처음부터 싸울 것을 계산에 두고 생각하
고 있다. 끝까지 싸우면서 버틸 수 있는 곳, 바로 그곳을
안전하다고 생각하는 거야.'
강만리는 엉덩이를 긁기 시작했다. 그 어느 때보다도
엉덩이가 간지러운 것이다.
지난 가을 무적가와 철목가가 동시에 기습을 감행했을
때, 강만리는 동료들이 생각했던 것보다, 그의 외양으로
드러나는 것보다 훨씬 놀라고 당황했으며 불안해했다.
무엇보다 자신이 지켜야 할 것이 너무 많다는 사실에
그는 깜짝 놀랐다. 아내와 자식, 동료와 형제들, 형제들
의 아내와 또 그들의 자식들…….
이들이 고스란히 외부에 노출되어 있는 한 강만리는 제
마음껏 싸울 수 없다는 사실을 깨달았다.
그는 적들과 마주한 상황에서도 한편으로는 아내를 걱
정하고 아들을 떠올렸다. 언제든지 몸을 돌려 그들에게
로 달려갈 준비를 하고 있었던 것이다.

그게 싫었다.

그렇게 좀팽이가 된 자신이 싫었다.

적이 앞에 있으면 오로지 그 적들에게만 집중하고 싶었다. 그래서 강만리는 십삼매의 안가를 떠올린 것이다. 그녀들과 아이들만이라도 그곳에 몸을 숨긴다면 한결 마음 편하게 싸울 수가 있을 테니까.

'지금 그런 이야기를 한다고 해서 먹힐까? 아니, 전혀 그럴 것 같지 않다.'

당연하리라.

여인네들은 자신들을 너무 과소평가한다고, 외려 자신들이 더 남정네들의 안위를 걱정한다고 말할 게 분명했다. 그런 상황에서 강만리의 말은 씨도 먹히지 않을 게 분명했다.

'그래도 가장인데 말이지.'

가장은 울타리였다.

경계를 긋고 보호하고 막아 주는 울타리. 예전에는 미처 몰랐지만, 아니 깊게 생각해 보지 않았지만 지난 가을의 전투로 깨닫게 된 그 책임감과 의무감이 지금 강만리를 곤혹스럽고 난처하게 만들었다.

"어쨌든 의견이 그런 쪽으로 정리된 것 같으니까."

빙혼마고가 입을 열었다.

"우선 누군지 모를 괴인들의 공격에 철저히 대비하는

한편, 십삼매와의 연락이 끊어지지 않도록 최선을 다하면 되는 게다. 날이 새면 곧장 관으로 달려가서 이번 사태에 대한 관의 개입을 요구하고 또 살아남은 성도부 유지들과 호족, 문회방파 사람들과 연계도 해야겠지."

듣고 있던 사람들 모두 마땅한 결론이라고 생각하여 고개를 끄덕이던 참이었다.

"그런데 말입니다."

강만리가 불쑥 입을 열었다.

"지하로 잠적했다는 십삼매와는 어떻게 연락을 취해야 할까요?"

강만리의 마지막 항변이었다. 일순 빙혼마고는 꿀 먹은 벙어리가 되었다.

하지만 유 노대가 있었다.

"그럼 자네는 지하로 잠적한 그녀의 은신처를 어떻게 찾아갈 생각이었나?"

이번에는 강만리가 아무런 대꾸를 할 수 없었다. 그는 엉덩이를 긁적거리다가 결국 항복하고 두 손을 들었다.

"그렇군요. 유 사부의 말씀이 맞습니다. 생각해 보니 제 제안은 극히 어리석은 제안에 불과했었네요."

강만리는 길게 한숨을 내쉰 후 사내들을 둘러보며 말을 이어 나갔다.

"예추와 군악 자네들은 정문과 후문 쪽의 경비를 돌아

보고, 벽린 자네는 헌원 노대와 함께 다시 한번 장원 내의 함정과 기관 장치를 살펴보게."

그는 미리 생각해 두었다는 듯이 사람들에게 일일이 지시를 내렸다. 재미있게도 이 지시에 관해서는 누구 한 사람 딴죽을 거는 이가 없었다.

'묘하군.'

그 과정을 지켜보고 있던 고굉의 눈빛이 반짝였다.

'총론은 토론과 논의를 통하여 의견을 수렴해 정하는 대신, 각론은 강만리의 지시에 따른다라……. 흠, 나중에 흑룡방을 재정비하게 되었을 때 한번쯤 시도해 볼 만한 일이 아닐까 싶구나.'

고굉이 그런 생각을 하는 동안에도 강만리는 남녀노소 가리지 않고 각자 해야 할 일들을 설명하고 지시했다. 그렇게 이날 밤의 시간이 천천히 흘러갔다.

3. 꼬리

묘한 기분이었다.

볼일을 보고 뒤를 닦지 않고 나온 느낌이라고나 할까. 아니면 공동묘지 한가운데 홀로 서 있는 기분이라고 할까.

등골이 오싹하고 누군가 자꾸만 뒤를 잡아당기는 듯했다. 물론 뒤돌아보면 아무것도 보이지 않았다. 쫓아오는 기척도, 냄새도 나지 않았다.

그렇지만 뭔가 놓친 게 있는 것만 같았다. 도대체 뭘까. 뭐가 이리 마음 불편하게 만드는 것일까.

빠른 속도로 어둠 속을 질주하던 흠묘가 갑자기 우뚝 멈춰 섰다. 그녀는 뒤도 돌아보지 않은 채 골목길 한가운데 버티고 서 있었다.

그녀의 모든 오감이 자신의 등 뒤로 향했다.

낮은 코는 빠르게 씰룩이면서 주변 모든 냄새를 맡았고, 쫑긋거리는 귀는 주변의 모든 소리를 감지했다. 행여나 주변의 진동으로 뭔가 느끼지 않을까 싶어서 그녀의 손은 바로 옆 담벼락을 짚고 있었다.

시간은 느릿하게 흘렀다.

하지만 그녀는 움직이지 않았다. 마치 그 자리에 얼어붙은 듯, 혹은 석상처럼 굳어진 듯 그녀는 차갑고 매서운 한겨울의 밤바람을 맞으면서도 한 치도 움직이지 않았다.

그렇게 멈춰 선 지 일각이 지나고 이각이 되어 갔다.

'착각이었나?'

흠묘는 그제야 담벼락에서 손을 떼고 자세를 풀었다. 손이 꽁꽁 얼어붙어 있었다.

"혹시나 해서 기다렸는데 역시 아무 반응이 오지 않았

어. 괜히 시간만 허비했네."

그녀는 혼자서 중얼거리며 다시 어두운 골목 안쪽으로 달려갔다. 이내 그녀의 신형이 사라졌다.

잠시 후, 그녀가 멈춰 서 있던 자리에 다섯 명의 사내들이 표표히 내려섰다.

"지독한 계집이다."

"하마터면 우리의 존재가 발각될 뻔했네."

"보통 여인이 아니다. 인내력과 집중력만 보자면 결코 우리들의 하수가 아니다."

"도대체 어디의 누구일까? 성도부 흑도방파의 일개 염탐꾼이라고 하기에는 그 실력이 너무 뛰어나다. 우리 무적가에도 저 정도 되는 염탐꾼은 드무니까."

"어쨌든 백팔비(百八秘)의 열일곱, 이십칠경(二十七卿)의 다섯, 그리고 무영백께서 직접 나섰으니까 결코 놓칠 일은 없을 것이다."

"그럼 우리는 맞은편으로 돌아가서 기다리도록 하자. 행여 다른 곳으로 이동했다면 연락이 다시 올 테니까."

마지막 사내의 말을 끝으로 그들은 허공 높이 몸을 띄웠다. 그리고 곧 지붕 위로 몸을 날려 그 지붕과 지붕을 이어 달렸다. 그들이 사라진 방향은 조금 전 흠묘가 사라졌던 맞은편 쪽이었다.

골목길을 벗어난 흠묘는 곧바로 뒷거리의 후미진 길을 따라 한참을 달렸다.

이윽고 그녀는 허름하고 조그마한 이 층 목조 건물 앞에서 걸음을 멈췄다. 건물 앞에는 낡은 깃발이 펄럭이고 있었는데 언뜻 금룡회(金龍會)라는 색 바랜 글씨가 눈에 들어왔다.

그녀는 굳게 닫혀 있는 문을 두드리며 말했다.

"다녀왔습니다."

문 안쪽에서 늙수그레한 음성이 들려왔다.

"누구요?"

"하품하는 고양이."

"늦었네."

끼이익, 소리와 함께 대문이 열렸다. 안에서 두꺼비처럼 생긴 노인이 고개를 내밀고 좌우를 살폈다. 흠묘가 안으로 들어서자 노인은 다시 문을 닫았다.

"갔던 일은?"

"망했어요."

흠묘는 곧장 건물 안쪽으로 걸어 들어가며 말했다.

"루호는?"

"이 층에서 기다리고 계시네."

흠묘는 훌쩍 몸을 날려 그대로 이 층 난간 위로 뛰어올랐다. 그리고 거침없이 복도를 따라 세 번째 방으로 들어갔다.

침상과 탁자만이 놓여 있는 단출한 방이었다. 덧문이
굳게 닫혀 바깥의 풍경을 전혀 내다볼 수 없는 창가에 한
사내가 뒷짐을 지고 우뚝 서 있었다.

바로 루호였다.

"망했어요."

흠묘는 머리를 긁적이며 말했다.

"워낙 많은 자들이 십삼매의 유곽 일대에 깔려 있었어
요. 게다가 꼬리까지 달라붙는 바람에 그들을 떼어 놓고
오느라 시간이 더 걸렸어요."

"철저하게 망했군."

루호의 말에 흠묘는 헤헤 웃으며 대꾸했다.

"실수할 때도 있죠."

"아니, 실수라고 하기에는 너무 큰데."

루호는 나무판자로 만들어진 덧문의 조그만 틈 사이로
밖을 내다보며 말했다.

"꼬리가 붙었다. 그것도 스무 명 가까운 꼬리가."

"네?"

흠묘가 놀라 손사래를 치며 말했다.

"그럴 리 없어요. 몇 번이고 확인하면서 왔는데요."

"아니, 저기 봐라."

흠묘가 잔뜩 초조하고 당황한 얼굴을 한 채 루호의 곁

으로 다가왔다.

그에게서는 흠묘의 아랫도리가 흠뻑 젖을 정도로 강렬한 냄새가 풍겼다. 그래서 그녀는 루호 가까이 가는 것을 두려워하고 꺼려 했다.

언제 그에게 와락 덮쳐들지 몰랐으니까.

하지만 지금은 전혀 그런 냄새가 나지 않았다. 아니, 그녀는 그런 냄새를 맡을 정신이 없었다.

판자와 판자 사이의 좁은 틈 사이로 밖의 풍경이 내다보이는 가운데, 저 멀리 십여 개의 그림자가 이 목조 건물을 주시하고 서 있는 모습을 볼 수 있었던 것이다.

"미, 믿을 수가 없어요. 저들이 여기까지 쫓아오다니! 정말이에요. 놈들을 따돌렸는데…….."

"괜찮다."

루호는 다정한 목소리로 말했다.

"네가 잘못했다기보다는 저들이 너무 뛰어났던 거지. 어쨌든 중요한 건 싸우느냐 도망치느냐 선택해야 한다는 것이다. 그것도 다른 녀석들이 더 몰려들기 전에 말이다."

"싸워요."

흠묘는 이를 갈며 말했다.

"내게 이런 수모와 수치를 준 자들을 가만 내버려 둘 수 없어요. 본때를 보여 줘야 해요."

"가서 하마옹(蝦蟆翁)을 모셔 와라."

"네."

돌아서려는 순간, 갑자기 루호에게서 진한 수컷 냄새가 와락 풍겨 나왔다. 흠묘는 저도 모르게 그에게 안기려다가 얼른 자세를 고치고 돌아섰다.

루호는 그녀가 방을 나가는 뒷모습을 지켜보다가 다시 창가로 시선을 돌렸다.

"스물 셋이라……. 그중 열일곱 명은 감당할 것 같고…… 다섯 명 정도는 어떻게든 당해 낼 수 있을 것 같은데 한 명이 문제가 되는구나."

루호는 시야에 잡힌 십여 개의 그림자 너머, 어둠 속 깊은 곳에 감춰져 있는 기척까지 모두 읽었다. 또한 순간적으로 그들의 능력과 무위를 판별하여 다음 대응책을 짜기 시작했다.

마침 두꺼비처럼 생긴 노인이 흠묘와 함께 방으로 들어섰다. 하마옹, 그게 노인의 별명이자 별호였다.

루호는 뒤돌아보지 않은 채 입을 열었다.

"지금 이곳에 있는 이들이 몇이나 되지?"

하마옹은 눈동자를 이리저리 굴리다가 대답했다.

"서른여섯."

"평소에 비해서 그리 많지 않은 수로군."

"여기저기 불려 나간 데다가 또 각자 맡은 일을 처리하

느라 돌아오지 않는 녀석들도 많거든. 무엇보다 허 노야
와 십삼매를 호위하는 데 차출된 아이들이 제법 있어서
말이지."

"알고 있어. 서른여섯이라…….”

루호는 팔짱을 끼며 중얼거렸다.

판단은 신중하지만 빠르게 해야 그 효과가 배가되는
법, 그의 뇌리가 바쁘게 움직였다.

"우선 모두 깨울까?"

하마옹이 물었다.

"그래야겠지."

루호의 대답에 하마옹과 흠묘가 서둘러 밖으로 나갔다.

그 순간 루호의 얼굴이 살짝 일그러졌다.

"이런 젠장. 여유를 주지 않는군."

예상이 틀렸다.

이곳이 어디인지 또 몇이나 숨어 있는지 확인하기 전에
는 쉽게 움직이지 못할 거라 판단했다. 그래서 최소한 일
각 반의 시간은 있다고 여유를 부리던 참이었는데, 그런
루호의 예상은 보기 좋게 빗나갔다.

검은 그림자들이 천천히 건물을 향해 다가오고 있었
다. 그림자들이 수가 점점 늘어났다.

그중 하나의 그림자가 문득 고개를 들더니 루호가 서
있는 쪽을 쳐다보았다.

창문은 닫혀 있었고 덧문까지 달려 있었다. 루호도 그 나무판자 틈새로 밖을 엿보고 있었으니 저 밖에서는 이곳의 기척을 전혀 알아차릴 수가 없었다.

그런데도 그자는 마치 그곳에 루호가 있다는 사실을 알고 있다는 듯, 검은 두건 아래로 내다보이는 입가에 한 가닥 미소를 띠었다.

－기다려라.

그 미소는 마치 그렇게 말하는 것만 같았다.
루호의 심장이 두근거리는 순간이었다.

3장.
커다란 해일

지옥과도 같은 날들이었다.
스물 중반이 넘을 때까지
무공이라고는 몇 가지 잡기밖에 익히지 않은 상태였다.
물론 내공은 전무한 상태에서 칼과 곤봉,
그리고 포승줄을 다루는 기술밖에 익히지 않았던 그였다.

1. 며칠 전, 무림맹

태극감찰밀의 부밀주로 승격한 이후, 정유는 자신의 집무실을 벗어나지 못했다.

해가 바뀌고 원단이 지나도 마찬가지였다. 그는 매일처럼 쏟아져 들어오는 정보의 홍수 속에 파묻힌 채 서류 작업에 몰두해야 했다.

사실 부밀주라고 해도 다섯 명의 부밀주 중 막내에 해당하는 서열이었다. 결국 그는 다른 네 명의 심부름꾼처럼 일을 해야만 했으니 밤이 늦을 때까지 집무실에서 나올 수가 없었다.

그날 밤 역시 정유는 아직 탁자에 산더미처럼 쌓여 있

는 서류들을 마저 확인하고 정리하던 참이었다.

기계처럼 빠르게 움직이던 그의 손이 어느 한순간 우뚝 멈췄다. 그의 눈빛이 강렬하게 빛났다. 항주에서 올라온 그 보고서에는 다음과 같이 적혀 있었다.

—정월 초사흘.

철목가 가주 정극신이 무적검군, 비룡맹군, 금강천군 등 삼개 연합군 총 사백오십오 명을 이끌고 철목가를 출발, 곧장 서쪽으로 이동 중입니다.

목적지는 대략 서안, 혹은 사천으로 예상됩니다.

"사천?"

정유의 눈이 반짝인 것은 바로 그 대목 때문이었다. 그는 잠시 무언가를 생각하다가 자리에서 일어나 한쪽 서가로 걸어갔다.

서가에는 수많은 책자들이 빽빽하게 꽂혀 있었다. 정유의 손이 빠르게 책자들을 훑어 내렸다. 어느 한순간 그는 책자 한 권을 짚고 꺼내 들더니 이내 파라락 책장을 넘겼다.

그 책자는 작년 하반기에 올라왔던 정보들과 보고서들 중 일련의 움직임을 보인 정보들끼리 묶어서 만든 책자였다.

책자 중간 지점, 정유가 찾고 있던 정보가 있었다.

　-광철단주 추경광 휘하 광철단 전원 백오십이 명이 철목가를 출발, 사천 방향으로 향하는 중.

다시 책장을 넘겼다. 서너 장 넘기는 순간, 그와 연관된 보고서들이 잇달아 펼쳐졌다.

　-남녕부에 당도한 광철단은 그곳에서 사흘을 묶음.
　흑개방 남녕지부와 접촉

　-광철단, 성도부에 도착.

하지만 그게 전부였다. 그 이후의 광철단에 관한 보고서는 그 책자 마지막 장까지 확인해 보았지만 단 한 글자도 찾을 수 없었다.

"작년 가을 광철단이 모종의 밀명을 받고 성도부로 향했다. 하지만 그들은 흔적도 없이 실종되었고…… 해가 바뀌고 원단을 지내자마자 철목가의 가주가 직접 삼개 연합군을 이끌고 서쪽으로 향하고 있다."

정유는 다시 제자리로 돌아오며 상황을 정리했다.

'무슨 일이 일어난 것일까?'

정유는 다시 보고서들을 뒤적거리며 정극신과 철목가에 관한 정보들부터 먼저 찾아냈다.

여러 장의 보고서들이 한쪽에 자리를 잡았다. 대부분 호광 지역의 태극천맹 지부에서 날아든 보고서로, 정극신이 수백 필의 말들을 차출해 갔다는 내용이었다.

정유는 그 보고서들을 일렬로 나란히 늘어놓았다.

그러자 항주를 출발한 정극신이 강서의 악안 지방을 지나쳐 의춘을 지나 호광 남쪽의 소동과 의화 지방을 거쳐 가는 경로가 한눈에 들어왔다.

그리하여 이윽고 사천의 경계에 이르게 되는데, 놀랍게도 항주에서 사천까지 그 먼 길을 불과 보름여 만에 주파하고 있었다.

그것은 하루에 한 시진 정도 휴식을 취하고 남은 열한 시진 내내 말을 달려야만 가능한 일이었다.

도대체 얼마나 다급한 일이기에, 얼마나 중요한 일이기에 천하의 철목가 가주가 그런 강행군을 하면서 성도부로 향하고 있는 것일까.

정유는 입술을 깨물었다.

철목가 가주는 그의 부친이었다. 성도부에는 그의 친형과 같은, 그리고 친아우와 같은 의형제들이 있었다. 불길한 예감이 그의 뇌리에 스멀스멀 자리를 잡기 시작했다.

"내일⋯⋯."

정유는 빠르게 보고서를 정리하면서 중얼거렸다.

"오래간만에 휴가를 신청해야겠구나."

반년이 넘게 이 좁고 답답한 집무실을 벗어난 적이 없었다. 밀주는 흔쾌히 그의 휴가 신청을 받아 줄 것이다. 허락이 떨어지는 즉시, 그는 곧바로 사천 성도부를 향해 말을 달릴 작정이었다.

보고서를 챙기는 손이 그의 마음처럼 바쁘게 움직이고 있었다.

* * *

"드디어 움직이기 시작했습니다."

뚱뚱한 체구의 노인이 청수한 중년인을 앞에 두고 공손하게 입을 열었다. 꽤 늦은 시각의 술자리였지만 두 사람의 눈빛은 한없이 맑고 투명하게 빛났다.

청수한 중년인, 그러니까 이곳 태극천맹의 주재자이며 뚱뚱한 체구의 노인에게 명령을 내릴 수 있는 유일한 인물인 맹주 정문하는 묵묵히 술잔을 들어 단숨에 들이켰다.

뚱뚱한 체구의 노인은 태극감찰밀의 밀주 무원환이었다. 예순이 훨씬 넘은 나이였지만 여전히 그 눈빛은 강렬했고 목소리는 단단해서 젊은이 못지않은 활력이 흐르고 있었다.

무원환은 정문하의 빈 잔에 술을 따르며 재차 입을 열었다.

"무적가의 제갈보광이 오백여 식솔을 이끌고 남녕부를 괴멸시킨 후 다시 성도부로 이동했다는 소식입니다."

"흐음."

"한편으로 철목가의 정극신이 철목삼군을 이끌고 성도부로 이동 중입니다. 그 와중에 맹의 말들을 무단으로 수백 필 이용했다는 보고도 있었습니다."

그것은 정문하가 오대가문에게 무림맹의 접근을 불허한 상황에서 일어난 일이었으며, 또한 얼마나 정극신이 정문하를 우습게 여기는지 알 수 있는 대목이었다.

무원환은 정문하의 눈치를 살피며 말을 이었다.

"철목가에게 말을 대여한 당직자들을 가만 놔둘 수는 없을 듯합니다만."

"뭐, 그건 어쩔 수 없을 것이오. 정 가주가 직접 나선 상황에서 말을 빌려주지 않을 당직자는 없을 테니까."

"어쨌든 성도부를 중심으로 하여 드디어……."

무원환은 제 잔에 술을 따르며 말을 이었다.

"커다란 해일이 일기 시작했습니다."

"음, 버텨 낼 것 같소?"

정문하가 술잔을 들며 물었다.

애매한 질문이었지만 무원환은 그 질문의 의미를 제대로 파악하고 있었다.

"버티기 힘들 겁니다. 무적가의 오백 무사는 제갈보광이 고르고 고른 고수들, 어쩌면 정극신이 성도부에 당도하기 전에 모든 상황이 정리될 수도 있습니다."

거기까지 말한 무원환도 술을 한 잔 비웠다. 이번에는 정문하가 그에게 술을 따랐다. 무원환은 자신의 술잔이 차오르는 걸 지켜보면서 입을 열었다.

"하지만 이번에도 그들이 버텨 낸다면, 차후 그들의 힘을 빌려 맹주가 원하는 바대로 새로운 태극천맹을 만들어 나갈 수 있을 겁니다."

"그러니 끝까지 도와주지 말라?"

"끝까지 지켜보셔야 합니다. 아마도 정유, 그 멍청한 녀석은 곧 휴가 신청을 하러 올 테지만…… 천맹 차원에서는 어떤 움직임도 있어서는 안 됩니다. 무엇보다 다른 세 가문이 눈을 부릅뜨고 우리를 지켜보고 있을 테니까요."

"그건 그렇소."

정문하는 고개를 끄덕이며 말했다.

"내가 그들에게 선전포고를 한 이후 확실히 그들의 움직임인 신중해졌고, 한편으로는 우리의 행동 하나하나에 매우 민감한 반응을 보이고 있소."

그는 문득 미소를 지으며 말했다.

"작년 가을 소림사를 방문했을 때만 하더라도 그들이 보낸 수십 명의 밀정들이 알게 모르게 달라붙었으니까."

무원환이 곤혹스러운 표정을 지었다.

"그때 하마터면 큰일 날 뻔하지 않으셨습니까? 산적으로 위장한 이십여 명의 자객(刺客)들이 하산하던 맹주를 덮쳐 왔던 당시 상황을 떠올리면 지금도 속이 쓰라립니다."

"그런저런 위험을 감수하지 않고서 어찌 대업을 이룰 수가 있겠소?"

"하지만 더 조심하시고 주의하셔야 합니다. 맹주께서 쓰러지시면 더 이상 그 누구도 오대가문을 막을 수 없게 되니까요."

"물론 내 목숨도 중하오."

문득 정문하의 얼굴에서 웃음기가 사라졌다.

"하지만 지금 성도부에서 압도적인 전력 앞에 전전긍긍하고 있을 그들의 목숨 또한 중하오."

무원환도 따라서 얼굴이 굳어졌다. 정문하는 한숨을 길게 내쉬며 말을 이었다.

"무림오적이라는 계획을 알게 된 것이 천운인지 불운인지 알 수가 없구려. 괜히 그로 인해 애꿎은 이들까지 풍전등화의 위험에 처하게 되지 않았소?"

"강호를 살아가면서 어찌 평안과 안녕만을 생각할 수

있겠습니까? 원래 강호라는 곳이 다 그렇지 않습니까? 금분세수를 하고 은거해도 누군가의 암습으로 인해 목숨을 잃은 경우까지 왕왕 있으니까 말입니다."

무원환은 위로하듯 말했다.

가만히 그의 이야기를 듣던 정문하는 뭔가 생각났다는 표정을 지으며 물었다.

"붕방은 어찌 되었소?"

"참마붕방은 여전히 바쁘게 돌아다니는 중입니다. 그들은 특히 경천회에 대해서 조사를 하고 있습니다만 아직 그 꼬리를 잡지 못한 듯합니다."

"옛 붕방의 기인들은?"

"절반 이상의 기인들이 대륙 전역에 흩어져 있습니다. 물론 그들의 행적과 은신처 대부분 우리가 인지하고 있는 중입니다. 나머지 절반가량의 기인들은 예전처럼 무리를 지어 촌락을 이루고 살아가는 중입니다."

"좋소. 계속 그들에 대해서도 지켜봐 주시오."

"그리하겠습니다."

"자, 한 잔 드십시다."

정문하는 다시 무원환에게 술을 권했다. 두 사람은 연거푸 석 잔의 술을 마셨다.

그렇게 두 사람의 술자리가 막이 내렸다.

2. 끝까지 살아남아라

지옥과도 같은 날들이었다.

스물 중반이 넘을 때까지 무공이라고는 몇 가지 잡기밖에 익히지 않은 상태였다. 물론 내공은 전무한 상태에서 칼과 곤봉, 그리고 포승줄을 다루는 기술밖에 익히지 않았던 그였다.

그런 그가 최대한 빠른 시간 안에 절정의 고수로 만들어 달라는 말도 안 되는 요구를 했으니, 그에 대한 황계의 대답은 뻔할 수밖에 없었다.

"하루에 한 시진만 자라. 다섯 시진은 무공을 익히고 두 시진 동안 대련하며 세 시진 동안 운기조식을 한다."

대련하면서 얻은 부상과 상처는 운기조식을 하기 전에 치료하는데, 너무나도 독한 약효로 인해 그는 매번 까무러치고 혼절했다.

그게 전부가 아니었다.

자고 무공을 익히고 대련하고 운기조식을 하고 남은 한 시진 동안, 그는 서른여섯 가지의 약재와 약물을 혼합하여 만든 약탕에 들어가 있어야 했다.

황계 측 이야기로는 그 약탕에 몸을 담그면 피부에 철갑을 두른 것과 같은 효능을 가져다준다고 했지만 아직 그 결과를 확인할 수는 없었다.

그저 부글부글 끓는 약탕 안에 들어가 있으면 그의 피부는 녹아내리듯 벗겨지며 그 녹은 피부 사이로 스며는 약물이 마치 소금처럼, 혹은 수만 마리의 개미처럼 지독한 격통과 고통을 안겨다 준다.

얼마나 이를 악물고 또 악물었는지 그의 치아는 흉하게 망가지고 내려앉아서 제대로 말도 하지 못하는 상황에 이르렀다.

하지만 그는 포기하지 않았다. 포기할 수 없었다. 스스로 변하고 싶어서, 고수가 되고 싶어서 자청하여 들어온 폐관 수련이었다.

황계 측에서 이제 끝났다고 할 때까지는 악착같이 버티고 끈질기게 살아남아야 했다.

그가 익히는 무공은 주로 외공이었다.

"빠른 시일 안에 절정의 고수가 되는 방법은 크게 세 가지가 있다. 하나는 사마외도의 비전처럼 전해 내려오는 악랄하고 잔악한 수법을 사용하는 게다. 가령 어린아이들의 피를 마신다든가, 혹은 채음보양(採陰補陽)의 수법을 익힌다든가……."

물론 그는 거절했다.

아무리 고수가 되고 싶다 하더라도 사람이기를 포기할 수는 없었다.

"두 번째 방법은 외공을 익히는 게다. 외공은 약물이라는 절대적인 보조 수단을 동원할 수 있기 때문에 내가기공을 익히는 것보다 훨씬 빠른 성장을 할 수가 있다."

"두 번째로 하겠습니다."

그는 세 번째 방법은 채 듣지도 않은 채 그렇게 두 번째 방법을 선택했다.

아닌 게 아니라 약물의 효과는 탁월했다. 금세 그의 피부는 강철처럼 단단해졌다. 어지간한 공격에는 흠집 하나 나지 않았고 외려 주먹을 휘두른 자의 손이 부러지는 일이 발생하기 시작했다. 그리고 약 반년이 지난 후에는 칼과 검조차 그의 피부를 꿰뚫을 수가 없게 되었다.

하지만 그는 계속된 비무의 패배로 인해, 그것만으로는 부족하다는 걸 절실하게 깨달았다.

육체가 금강불괴(金剛不壞)처럼 변한 것만으로는 고수와 싸워 이길 수가 없었다. 아직 그의 내공은 일천했고, 그의 무공은 갓 삼류급을 벗어난 상태였으니까.

그래서 단기간 내에 강해질 수 있는 세 번째 방법을 물었고, 황계 사람으로부터 답변을 들은 그는 오랫동안 고민을 하다가 고개를 끄덕였다.

"세 번째 방법도 부탁드리겠습니다."

황계측 사람들은 살짝 곤혹스러운 표정을 지으며 말했다.

"죽을 수도 있네."

"괜찮습니다."

그는 담담하게 말했다.

"애당초 그럴 각오로 이곳에 왔으니까요."

그리고 다시 반년이 지났다.

어제 그는 처음으로 대련에서 승리를 거둘 수 있었다. 그에게 상승 무공의 기초를 가르쳐 주고 내공과 외공을 가르쳐 주었던 교두(敎頭)가, 불과 십여 초 만에 무릎을 꿇고 쓰러진 것이다.

'기다리십시오, 형님.'

벽을 바라보며 중얼거리는 그의 눈빛은 크게 달라진 외모 이상으로 변했다.

순하고 어수룩해 보이던 표정도 사라진 후였다. 그의 강철같이 단단한 피부 아래에는 바위처럼 울퉁불퉁한 근육이 숨겨져 있었으며, 또한 금방이라도 폭발할 것 같은 힘이 감춰져 있었다.

지금 이 밀실 안에는 한때 성도부의 포쾌였던 자 대신, 한 마리 흉포함과 잔악함을 내재한 맹수 한 마리가 웅크리고 있는 것이다.

* * *

쾅!

멀리서 희미한 굉음이 들려왔다.

가부좌를 튼 채 조는 듯 운기조식을 하고 있던 석정은 천천히 눈을 떴다. 그의 귀가 쫑긋 움직였다. 그러자 보다 먼 곳의 소음과 기척들이 똑똑하게 그의 귀로 전달되었다.

시각과 청각, 후각과 미각, 그리고 촉각과 직감까지, 그 여섯 가지 감각을 예민하게 단련시켜서 증폭하고 극대화하게 만드는 수법인 천조감응진력.

지난 일 년 동안 석정이 익힌 십여 가지의 무공 중 하나가 바로 이 천조감응진력이었다.

그는 이제 갓 오성의 경지를 넘어선 천조감응진력을 발휘하여 밀실 밖에서 들려왔던 굉음의 정체를 파악하려 했다.

시간이 흐르면서 그의 이맛살이 꿈틀거렸다.

전쟁이라도 발발한 것일까. 온갖 병장기 부딪치는 소리와 비명 소리가 저 밀실 밖, 지상의 건물 쪽에서 들려오고 있었다. 그리고 그 소음은 점점 더 크고 강렬하게 다가오는 중이었다.

가만히 그 소리에 집중하던 석정의 눈썹이 어느 한순간 꿈틀거렸다. 쉴 새 없이 들려오던 비명과 고함들 사이에서 유독 귀에 익은 음성이 있었던 것이다.

"모두 도망쳐라! 놈들과 싸우지 말고 각자도생(各自圖

生) 하라!"

석정의 얼굴이 딱딱하게 굳어졌다.

지금 들려온 목소리의 임자는 석정에게 무공을 가르쳐 주었던 황계의 교두들 중에서도 수석교두라 불리는 인물이었다. 또한 교두들이 그를 가리켜 조(曹) 황백(黃伯)이라고 부르던, 이 장원의 최고 책임자이기도 했다.

'조 황백이 저리 말할 정도의 상황이라면⋯⋯.'

극도로 좋지 않은 상황인 게다. 석정 또한 더 이상 한가하게 이 밀실에서 운기조식을 하고 있을 때가 아닌 것이다.

석정은 자리에서 일어나 천천히 차탁으로 걸어갔다. 그는 차탁에 놓여 있던 찻주전자를 들고 차를 따랐다.

우유처럼 하얗고 죽처럼 걸쭉한 액체가 반 잔가량 채워졌다. 찻주전자를 탈탈 털었지만 그게 전부였다.

석정은 아쉬운 표정을 지으며 그 기이한 찻물을 깨끗하게 비워 냈다.

황계 사람들의 말을 빌자면, 공청석유는 아니지만 그래도 내공이 일천한 석정에게는 탁월한 효능이 있는 약물이라고 했다. 지난 일 년 동안 매일 한 주전자씩 그 약물을 꾸준히 마셔 왔지만 어쩌면 그것도 마지막이리라.

석정은 조심스레 주전자를 내려놓은 다음 밀실을 가로질러 문 앞으로 향했다. 문을 열고 밖으로 나가자 지하

복도가 길게 이어져 있었다.

복도 저편에서는 병장기 부딪치는 소리와 악다구니를 쓰는 소리들이 뒤섞여 들려오고 있었다.

석정은 주먹을 쥐었다 폈다 하면서 복도를 따라 걷기 시작했다. 가슴이 두근거렸다. 물론 일 년 동안 대략 천 번 이상의 비무를 해 왔지만 그래도 실전은 이번이 처음이었다.

'과연 내 실력이 얼마나 될까.'

석정이 차분한 표정으로 복도 중간까지 걸어갔을 때였다.

복도 저편의 문이 열렸다. 밝은 불빛이 한꺼번에 들이닥쳤다. 매캐한 냄새와 검은 연기까지 흘러드는 걸로 보아 장원의 일부에 불이 붙은 모양이었다.

"석정!"

문을 연 자가 석정을 보고 소리쳤다.

"도망쳐라! 강 대협에게로!"

석정은 살짝 눈살을 찌푸렸다.

그는 이제 막 자신의 실력이 어느 정도인지 확인하려던 참이었다. 그런데 싸워 보지도 않고 무작정 도망치라니, 그게 이 장원의 책임자인 조 황백이 할 소리인가?

하지만 지상으로 이어지는 문을 연 조 황백은 다시 한 번 다급한 어조로 소리쳤다.

"강 대협도 위험하니까, 가서 도와주게!"

일순 석정은 두 눈을 부릅떴다.

'강 형님이?'

그의 어깨에서 강렬한 투지와 살기가 불길처럼 솟구쳤다. 조 황백은 뒤를 힐끗 돌아보면서 계속해서 소리쳤다.

"우측 밀실로 가면 장원 밖으로 연결되는 비상 통로가 있네. 통로를 빠져나가면 우리 측 사람이 기다리고 있을 것이야. 얼른! 한시가 급한 일이네!"

석정은 가만히 조 황백을 바라보다가 살짝 고개를 숙였다. 지난 일 년 동안의 가르침에 대한 고마움의 표현이었다.

하지만 조 황백은 미처 그 모습을 보지 못한 상태에서 계속 밖을 향해 소리치고 있었다.

"놈들과 싸울 필요가 없다! 다들 물러나서 차후를 도모하는 게다! 약속된 장소에서 다시 만나기로 한다!"

석정은 그 외침을 들으며 오른쪽 밀실의 문을 열고 들어갔다. 그가 머물고 있던 밀실과 별다를 바가 없는 조그만 공간이었다.

그는 밀실 주위를 둘러보다가 어느 한쪽 벽을 가볍게 밀었다.

그그그긍.

벽이 밀리면서 새로운 통로가 드러났다. 석정은 망설이

지 않고 그 통로를 따라 안으로 들어갔다. 그의 모습이 통로 속 어둠 저편으로 사라지자 벽은 다시 천천히 닫혔다.

수하들과 동료들을 향해 연신 지시를 내리던 조 황백은 뒤늦게 석정이 사라진 걸 발견하고는 길게 한숨을 내쉬었다.

"고생했네."

왠지 그의 눈가가 붉어지는 듯싶었다.

"보통 사람이라면 결코 견뎌 낼 수 없는 일 년이었는데…… 그걸 버티고 결국에는 나까지 이겼으니까."

조 황백은 입술을 깨물었다.

사실 황계 측에서 지난 일 년 동안 석정에게 투자했던 모든 건 공짜나 선심이 아니었다.

황계는 자신들의 수하를 최단 시간 내에 최고수로 만드는 방법을 연구했고, 석정에게 그 방법 중 하나를 대입하여 훈련시켰다.

그리고 매번 그 결과가 십삼매를 비롯한 황계의 중진들에게 보고되었다. 즉, 석정은 황계의 실험용 쥐에 불과했던 것이다.

하지만 조 황백은 더 이상 석정을 실험 도구로 보지 않았다. 일 년 동안 석정을 가르치면서, 그의 성장을 지켜보면서 조 황백은 자신도 모르는 사이 그를 자신의 제자처럼 아끼게 되었다.

'비록 그런 몸이 되어 버렸지만…….'

조 황백은 지하 밀실로 이어지는 문을 굳게 닫으며 돌아섰다. 불타오르는 장원의 모습이 그의 시야를 가득 메웠다. 조 황백은 입술을 깨물며 속으로 기원했다.

'살 수 있는 한 끝까지 살아남아라, 석정.'

동시에 그는 자신을 향해 덤벼드는 자들을 피해 허공 높이 몸을 솟구치며 소리쳤다.

"모두 도망쳐라! 끝까지 살아남아라!"

3. 사천 우육탕

강만리는 골치가 지끈거렸다.

상대는 무적가였다. 그것도 작정을 하고 나선 무적가 정예 수백 명. 만약 그들이 이곳의 존재를 눈치채고 쳐들어온다면 도대체 어떻게 그들을 막을 수 있을까.

수십 명에 불과했던 무적가와 철목가를 상대로 내당 입구까지 밀렸던 게 겨우 몇 달 전의 일이었다.

그것도 무적가와 철목가가 서로를 적이라고 오인하여 치열한 싸움을 벌였기에 싸우지 않고 협력하여 움직였다면 훨씬 더 막대한 피해와 손실을 입었을 것이다.

"우선 무적가 인원이 얼마나 왔는지부터 알았으면 좋

겠는데…….."

강만리가 한숨을 쉬며 중얼거릴 때였다.

"내가 알아볼까?"

옆자리에 앉아 있던 담우천이 입을 열었다. 강만리가 반색하며 그를 돌아보았다. 하지만 그는 곧 걱정스레 물었다.

"괜찮겠습니까?"

담우천은 담담한 어조로 말했다.

"괜찮네. 어쨌든 한때 사선행수(死線行帥)였으니까. 사실 내 본류는 잠입과 은잠, 기습과 암살이라고 할 수 있으니 말이네."

사선행수는 과거 무림대전 당시 오대가문 측에서 마도의 초절정고수들을 암살하기 위해 만든 조직인 사선행자의 우두머리를 뜻했다.

당시 담우천은 그 사선행수들 중에서도 가장 독보적인 활약을 했으니, 확실히 잠입과 기습에 관해서는 그 누구보다도 뛰어나다 할 수 있었다.

그래도 강만리는 영 마음이 놓이지 않는 얼굴로 말했다.

"하지만 적은 어디까지나 무적가의…….."

"잊었나?"

담우천이 강만리의 말을 자르며 살짝 웃었다.

"내가 무적가 본가 깊숙한 곳까지 숨어들어 아내를 구해 온 적이 있다는 사실을?"

"아……."

강만리는 입을 다물었다.

확실히 그랬다. 놀랍게도 담우천은 혈혈단신(孑孑單身)의 몸으로 저 무적가 본가까지 잠입하여 아내 자하를 구출한 적이 있었다.

강만리는 그제야 고개를 끄덕이면서, 그럼에도 불구하고 걱정스러운 목소리로 말했다.

"그래도 조심하셔야 합니다."

"그래야겠지."

담우천은 자리에서 일어나며 말했다.

"방심하는 순간 목숨을 잃는 곳이 바로 강호이니까 말일세."

그날 밤의 화평장은 괴기스러울 정도로 조용했다. 분명 장원의 모든 무인들이 깨어나 바쁘게 돌아다니고 있었지만, 사위의 어둠이 모든 소음을 잡아먹은 것처럼 교교하고 적막하기만 했다.

태풍 전야의 고요함.

그 불길한 기운이 화평장을 가득 메우고 있는 가운데, 담우천은 아무도 모르게 장원 밖으로 빠져나왔다.

'오랜만이군.'

담우천은 흑색 경장으로 전신을 휘감고 복면으로 얼굴을 가린 채 천천히 이동했다.

그는 천천히 숨을 들이마셨다. 칼날처럼 차가운 한겨울의 공기가 폐부 깊숙하게 파고드는 가운데, 비릿한 피 냄새와 매캐한 그을음 냄새가 희미하게 느껴졌다.

확실히 고굉의 말은 거짓이 아닌 게다.

어둠에 몸을 가리고 어둠을 밟으며 움직이던 담우천이 문득 걸음을 멈추고 밤하늘을 쳐다보았다.

저 멀리 저녁놀처럼 붉은 기운이 어둠을 뚫고 솟구쳐 올라왔다. 화광(火光)이었다. 불이 난 것이다. 그것도 장원 한 채를 모조리 불태워 버릴 정도로 거대한 화재가.

화광이 점점 더 커지면서 공기의 흐름이 바뀌기 시작했다. 화재가 난 주변의 소동이 파문을 일으키듯 사방으로 확산되고 있었다.

화재를 피해 도망친 사람들의 비명과 고함, 함성과 악다구니가 수십 리 떨어진 이곳까지 들려오는 것만 같았다.

담우천은 주변의 기척을 확인한 후 곧장 그 화광이 솟구치는 방향으로 몸을 날렸다.

한 마리 야조가 허공을 가르고 사라지듯, 이내 그의 신형은 어두운 밤하늘 저편으로 자취를 감췄다.

* * *

"영악한 놈들이다."

제갈보령(諸葛保靈)이 중얼거렸다.

"스스로 장원을 불태워서 사람들의 이목을 끌다니, 이런 식의 대응은 미처 예상하지 못했다. 사파(邪派)가 아니라면 도저히 떠올릴 수 없는 방식인 게지."

정파의 무인들은 명예를 지키고 자존심을 세우기 위해 목숨을 버리기까지 한다. 심지어 검을 놓치는 것조차 수치스러운 일이라고 생각하고 자결까지 하는 문파도 있었다.

그러니 이렇게 스스로 자신들의 보금자리를 불태우며 도망치는 건 아예 상정 밖의 일이었다.

하지만 지금 제갈보령들이 쫓고 있는 자들은 정파의 인물들이 아니었다. 명예보다는 욕망을 탐하고 자존심보다는 안위를 더 걱정하는 사파의 무리들인 게다.

그들을 상대하기 위해서는 그들의 사고방식을 이해하고 거기에 맞춰서 행동해야 하는 게 옳은 방식이었다.

"오늘 또 하나 좋은 걸 배웠다."

제갈보광의 사촌이자, 탈혼권객(奪魂拳客)이라는 별호로 유명한 제갈보령은 이날 밤 오십 명의 수색대를 이끌고 십삼매의 행적을 뒤쫓던 중이었다.

마침 십삼매의 졸개로 보이는 자가 이 장원으로 도주하는 걸 확인하고는 곧바로 장원을 기습했는데, 생각보다 훨씬 격렬한 저항에 부딪치는 바람에 약간의 곤란을 겪어야만 했다.

하지만 곧바로 열세를 깨달은 놈들은 장원 전체를 불태우는 강수까지 두면서 줄행랑을 쳤다. 미처 빠져나가지 못한 식솔들이 불타 죽는 광경이 속출하는 가운데, 놈들과의 전투는 어이없을 정도로 간단하게 끝났다.

"살아남은 자는 아무도 없습니다. 모두 도망친 것 같습니다."

"지금까지 찾은 삼십여 구의 시신들 중 이십여 구는 일반 식솔인 것 같습니다. 계속 확인 중입니다."

"우리 쪽 피해도 없지는 않습니다. 두 명이 죽고 다섯 명이 중상을 입었습니다. 중상을 입은 다섯 명 모두 더 이상 전투를 할 수 없을 것 같습니다."

쉴 새 없이 이어지는 보고를 들으며 제갈보령은 혀를 찼다. 일개 흑방의 잔챙이들을 상대하느라 두 명이 죽고 다섯 명이 중상을 입다니, 체면이 말이 아니었다.

"계속해서 놈들을 쫓아라. 쫓고 또 쫓다가 보면 언젠가는 십삼매라는 계집의 꼬리를 밟을 수 있을 것이다."

제갈보령의 말에 수하들이 고개를 숙이며 말했다.

"이미 주변 다른 대(隊)와 연락을 취해 연계를 하고 있습니다. 아무리 성도부의 골목이 미로와 같다 할지라도 우리의 천라지망은 결코 빠져나갈 수 없을 것입니다."

"그래야지."

제갈보령은 고개를 끄덕이면서 주위를 힐끗 돌아보았다. 불타오르는 장원 주변에는 수백 명의 사람들이 나와서 구경을 하고 있었다.

인근 주민들은 행여 자신들의 집으로 불길이 옮을까 전전긍긍하면서 어떻게든 화재를 진압하려 애를 썼다.

하지만 그들을 도와 불길을 잡으려 하는 이들의 수는 적었고, 반면 매서운 북풍이 휘몰아칠 때마다 불길은 깃발처럼 펄럭이며 사방으로 날뛰었다.

아무래도 불길은 쉬이 잡힐 것 같지 않았다. 아니, 초반에 잡지 못한 까닭에 성도부 전체가 불길에 휩싸일 수 있을 정도로 불길은 더욱 거세가 타오르고 있었다.

"좋지 않군."

제갈보령은 가볍게 눈살을 찌푸리며 중얼거렸다.

"굳이 한밤중에 일을 벌인 건 일반 백성들과 관아의 이목을 피하기 위해서인데……."

불길이 확산되면 인근 백성들은 물론 관아마저 움직이게 될 게 분명했다.

즉, 지금처럼 마음껏 날뛰기에는 아무래도 사람들의 눈

과 귀가 신경 쓰일 수밖에 없는 것이다.

"어쨌든……."

더 이상 사람들의 이목이 집중되기 전에 이 자리에서 물러나는 게 우선인 게다.

제갈보령은 그렇게 생각하며 남은 수하들과 제자들에게 퇴각을 지시했다. 그러고는 그 역시 천천히 몸을 돌려 자리를 뜨려 했다.

바로 그 순간, 그는 저도 모르게 움찔거리며 뒤를 돌아보았다. 어느새 백여 명으로 늘어난 사람들이 불구경을 하며 시끄럽게 떠들고 있었다.

제갈보령은 그 사람들을 예리한 눈빛으로 훑어보았다.

하지만 방금 전 느꼈던 그 차가운 시선은 어디에서고 찾을 수가 없었다. 제갈보령의 뒤통수를 꿰뚫듯 찔러 오던 눈빛.

'착각이었나?'

제갈보령은 살짝 고개를 갸웃거리고는 이내 그 자리를 떴다.

불타는 장원을 떠난 그가 보좌관들과 함께 당도한 곳은 제갈보광과 무적가 사람들이 점거하고 있는 객잔으로, 원래 고굉의 흑룡방이 운영하던 곳이었다.

"다녀왔습니다, 형님."

제갈보령은 대청에 들어서자마자 제갈보광을 향해 깍듯하게 인사했다. 제갈보광이 손짓하며 그를 불렀다.

"마침 잘 왔네. 이리 오게. 막 식사를 하려던 참이었거든. 아직 밥 먹지 않았지?"

"괜찮습니다."

"아냐. 이곳 숙수들 솜씨가 제법 괜찮네. 자네가 좋아하는 우육탕과 오리구이 전문이라던데."

"그렇습니까? 그렇다면 저도······."

제갈보령은 조심스레 제갈보광의 맞은편 자리에 앉았다. 그리 나이 차이가 나 보이지는 않았는데 의외로 제갈보령은 제갈보광이 어려운 듯, 아니면 꽤 존경하고 있는 듯 매우 신중하고 조심스럽게 행동하고 있었다.

제갈보광은 시중을 들고 있던 점소이를 향해 말했다.

"우육탕 한 그릇과 오리구이 한 마리 더 가져오너라."

나이 어린 점소이는 벌벌 떨면서 고개를 숙이고는 허둥지둥 주방으로 달려갔다.

제갈보광이 이곳 객잔을 접수하면서 지배인을 비롯한 객잔 식구들을 무참히 살해한 가운데, 몇몇 살아남은 점소이들은 이자들의 손속이 얼마나 잔인하고 흉포한지 잘 알고 있었다.

행여 말 한 마디, 행동 하나 잘못해서 목숨을 잃을 수도 있었기에, 그들은 벙어리처럼 입을 꼭 다문 채 꼭 필요한 행동만 하고 있었다.

"그래, 장원 하나를 불태웠다면서?"

제갈보광이 술잔을 쥐며 물었다. 제갈보령이 고개를 숙이며 대답했다.

"정확하게 말씀드리자면 그들이 자신들의 거처를 스스로 불태운 겁니다."

"흐음, 흑파의 행동이란."

"그러니까 말입니다. 놈들은 자존심도 체면도 명예도 없는 모양입니다. 살아남기 위해서는 그 무슨 짓을 해도 상관없다고 생각하는 것 같습니다."

"하기야, 뭐…… 한신도 불한당들의 가랑이 사이를 기었으니까. 그렇다고 놈들이 한신이라는 건 아니지만."

"물론입니다. 그깟 놈들에게 굴욕을 감수하고서라도 반드시 지켜야 할 대의(大義)라는 게 있을 리가 없잖습니까? 그저 제 목숨만이 소중한 거겠죠."

"그래. 그래서 사마외도가 아니겠느냐?"

"옳으신 말씀입니다."

"그건 그렇고, 다른 소식은 없느냐?"

"십삼매에 관한 건이라면…… 죄송합니다, 아직 아무것도 알아내지 못했습니다."

제갈보령은 고개를 푹 숙인 채 말했다.

"워낙 놈들의 저항이 완강하고 전투가 치열하다 보니

생포한 자가 한 명도 없었습니다. 중상을 입은 자는 자결하거나 혹은 동료가 죽여 입을 봉인시켰고, 살아남은 자들은 미꾸라지처럼 장원을 빠져나갔습니다."

"흠, 지켜보면 볼수록 십삼매라는 계집, 꼭 한번 만나보고 싶군. 도대체 얼마나 대단하기에 그토록 수하들이 충정을 다해 그녀를 지키려고 하는지 말일세."

"그래 봤자 성도부 이름 없는 방파의 우두머리에 불과할 따름입니다."

"그럴까?"

제갈보광이 고개를 갸웃거릴 때였다. 점소이 두 명이 다리를 후들후들 떨면서 우육탕과 오리구이들을 가지고 왔다. 제갈보광이 반색하며 말했다.

"자, 들지."

제갈보령이 오래간만에 고개를 들었다. 붉은 기름기가 둥둥 떠 있는 우육탕을 본 그의 목젖이 절로 꿈틀거렸다.

"역시 사천의 우육탕이 최고로군요."

"그렇지?"

두 사람은 입맛을 다시며 늦은 식사를 시작했다.

확실히 음식 맛은 뛰어났다. 우육탕은 매웠고 진해서 한겨울 추위를 단숨에 풀어 주었다. 갓 구운 오리구이는 육즙이 촉촉했으며 고기는 부드러웠다.

제갈보광도 오리 다리 하나를 든 채 열심히 뜯었다. 그러던 한순간, 제갈보광은 갑자기 다리뼈를 천장으로 집어던졌다. 빠르고 날카롭게 쏘아진 오리 뼈는 비수처럼 천장을 꿰뚫었다. 흙먼지가 후두둑 떨어져 내렸다.

제갈보령이 뒤늦게 깜짝 놀라며 고개를 들어 천장을 쳐다보았다.

"아무것도 아닐세."

제갈보광은 다시 새로운 다리 하나를 집어 들며 말했다.

"천장에 뭔가 숨어 있는 것 같아서 던져 봤는데, 굶주린 쥐새끼인가 보군."

"그렇습니까?"

제갈보령은 힐끗 뒤를 돌아보며 수하들에게 눈짓을 건넸다. 수하들은 곧장 객잔을 빠져나가 주변을 경계하는 무사들에게 지시를 내렸다. 무적가 무사들은 객잔 주변을 샅샅이 수색했다.

"아무것도 없습니다."

수하가 되돌아와 보고했다.

"내가 아무것도 아니라고 하지 않았나?"

제갈보광이 미소를 지으며 말하자 제갈보령이 고개를 숙이며 대답했다.

"죄송합니다. 그래도 형님께서 뭔가 수상쩍게 생각하신 데에는 다 그럴 만한 이유가 있을 것 같아서……."

"잘했네."

제갈보광이 미소를 지었다.

"사실 내가 보령 자네를 좋아하는 게 바로 그러한 신중함 때문이거든."

"감사합니다, 형님."

그렇게 두 사람은 계속해서 식사를 하며 두런두런 대화를 이어 나갔다.

4장.
금강불괴(金剛不壞)

한 가닥 서늘한 미풍이 무적가 무사들의 목 언저리를 스치고 지나갔다.
뒤늦게 무사들이 희미하게 번뜩이는 빛무리를 본 것 같다고 생각할 때였다.
그들의 목이 미끄러지듯 잘려 나가 몸에서 떨어져 나갔다.

1. 신비인(神祕人)

'역시 무적가로군.'

담우천은 내심 한숨을 내쉬며 속으로 중얼거렸다.

'처음 중년인도 그렇고 저 오리 뼈를 던진 자도 그렇고……
내 기척을 알아차리다니 말이다.'

그랬다.

불길에 휩싸인 장원에서 돌아서던 제갈보령을 노려보
던 자도, 그리고 그의 뒤를 쫓아 이 객잔 천장까지 몰래
숨어 들어 제갈보광과의 대화를 엿듣다가 하마터면 오리
뼈에 얻어맞을 뻔한 자도 모두 담우천이었다.

하지만 그게 전부였다. 제갈보령은 물론 심지어 제갈보

광까지도 더 이상 깊게 생각하지 않았다.

그저 '천장을 기어 다니는 쥐새끼이겠지' 하고 대수롭지 않게 생각하고 넘긴 건, 사람이라면 절대로 자신의 이목을 숨기고 가까이 접근하지 못한다는 오만함과 자만심으로 똘똘 뭉쳐 있었기 때문이었다.

또한 무엇보다 담우천의 은신술이 그들의 예상보다 훨씬 뛰어났던 까닭도 있었다.

그렇게 담우천은 그들의 머리 꼭대기 천장에 몸을 숨긴 채 여전히 그들이 식사하는 걸 엿보고 있었다.

제갈보광과 제갈보령의 식사는 평온하게 이어지지 않았다. 쉴 새 없이 무사들이 다가와 보고를 했고, 그때마다 그들은 식사를 멈춘 채 이야기를 듣고 새로운 지시를 내렸다.

시간이 흐르면서 우육탕은 식었고, 오리구이에서도 고기 냄새가 나기 시작했다.

결국 두 사람은 입맛을 잃었는지 젓가락을 내려놓았다. 그때 또 다른 무사가 허겁지겁 안으로 들어와 허리를 굽히며 말했다.

"철혼백(鐵魂佰)이 이끄는 부대의 급전입니다. 묘령의 여인 뒤를 쫓던 중 수상한 무리들과 조우, 격전 중이라고 합니다."

'철혼백?'

천장에 숨어서 듣고 있던 담우천의 눈빛이 살짝 흔들렸다.

끝에 백(伯)이라는 글자가 붙은 걸로 보아 무적가 최고 고수들이라 할 수 있는 구백 중 한 명의 별호인 모양인데, 담우천이 생전 처음 들어 보는 별호였던 것이다.

'몇 년 전 죽었던 구백들 중 일부분을 대신하여 새로 선출한 인물인가?'

철혼이라…… 철혼이라는 별호를 사용하던 자가 있었던가?

잠시 머리를 굴리던 담우천의 눈가가 파르르 떨렸다.

'설마 이규(離鬪)는 아니겠지?'

담우천이 그렇게 머리를 굴리는 동안에도 대청의 대화는 계속해서 이어지고 있었다.

"격전?"

제갈보광이 인상을 찌푸렸다.

격전이라니?

철혼백과 오십 명의 무적가 무사들이 격전을 벌이고 있다니, 그게 말이나 될 법한 일인가.

보고하던 무사는 제갈보광의 심기가 편치 않다는 사실을 알아차리고는 조금 더 목소리를 낮춰 이야기했다.

"그들 무리의 수가 예상보다 많으며 개개인의 실력 또한 일류급 이상이라고 합니다. 게다가 놀랍게도, 갈수록 무리에 합류하는 숫자가 늘어나는 바람에 쉽게 제압하지 못하는 모양입니다."

"그 묘령의 여인이라는 이가 십삼매일 가능성은?"

"거의 없습니다. 아마도 우리가 해치웠던 여인과 같은 부류의 인물이 아닐까 싶습니다. 은잠술과 은신술, 그리고 도주술에 능수능란한 걸 보면 말입니다."

"거참."

제갈보광이 이해가 가지 않는다는 듯이 중얼거렸다.

"도대체 이곳 성도부가 복마전(伏魔殿)이라도 된다는 건가? 어떻게 그런 고수들이 쉬지 않고 튀어나오는 거람?"

그때였다.

객잔 문이 열리고 또 다른 무사가 다급하게 뛰어 들어왔다. 그는 꽤 당황한 얼굴을 하고서 인사를 하는 둥 마는 둥 보고부터 시작했다.

"정체 모를 인물에 의해 북쪽 거리에 있던 본가 무사들 십여 명이 목숨을 잃었다고 합니다!"

"뭐야?"

제갈보령이 깜짝 놀라며 소리쳤다.

"겨우 한 명에 의해 본가 아이들이 열 명 이상 목숨을 잃었다고?"

"그게…… 지금 제갈보민(諸葛保民) 휘하 무사들이 그 뒤를 쫓고 있는데, 아무래도 심상치 않은 것 같습니다. 그 신비인(神祕人)의 수법이 워낙 괴이독랄해서…… 근처에 다가가기만 해도 영문도 모른 채 목숨을 잃는 것 같습니다."

"그게 무슨 소리더냐?"

제갈보광이 침착하게 물었다.

"영문도 모른 채 죽다니? 시신을 확인한 자들도 없단 말이더냐?"

"제갈보민께서 시신을 살펴보았지만 아직 사인(死因)을 확인하지 못한 것 같습니다. 알아내는 대로 다시 연락을 하겠다고만 전갈을 받았습니다."

"이런……."

제갈보광의 얼굴이 처음으로 딱딱하게 굳어졌다.

"또 그 신비인이라는 자는 도대체 어디에서 갑자기 툭 튀어나온 인물이란 말인가?"

보고자가 머뭇거리다가 입을 열었다.

"그 신비인의 정체는 알 수 없지만, 계속해서 '강 대장!'이라고 소리치는 걸 들은 이들이 있었습니다."

"강 대장?"

"강 대장?"

제갈보광과 제갈보령이 의아해 하며 서로를 돌아볼 때, 천장 속 담우천은 깜짝 놀라 하마터면 인기척을 낼 뻔했다.

'강 대장이라면 강만리를 가리키는 걸까?'

담우천의 머리가 빠르게 굴러갔다.

'강만리를 강 대장이라 부를 인물은 많지 않다. 게다가 무적가 무사들 십여 명을 해치울 정도의 실력자라면……'

저 태극천맹의 정유가 제일 먼저 담우천의 뇌리에 떠올랐다. 하지만 담우천은 이내 고개를 내저었다.

'아니, 그처럼 냉정하고 이지적인 사람이라면 절대 이런 식의 소동을 벌이지 않았을 것이다. 그렇다면……'

한 명의 얼굴이 떠올랐다.

순박하고 충직하며 올곧기만 한 사내. 강만리를 친형 이상으로 좋아하고 존경하고 따르지만, 지닌 실력이 부족하여 늘 의기소침하던 사내.

그래서 일 년 전 무공을 익히기 위해 스스로 황계를 찾아가 폐관 수련을 하고 있다는 사내.

'설마 석정인가?'

담우천의 눈빛이 가볍게 흔들릴 때였다. 천장 아래에서 제갈보광의 목소리가 들려왔다. 담우천은 얼른 정신을 차리고 그 이야기에 귀를 기울였다.

"우선 철혼백에게 삼대(三隊) 백오십 명을 차출해 보내라. 그리고 그 신비인은……"

"제가 가겠습니다."

"응? 보령, 자네가?"

"네. 마침 식사를 끝낸 참이니까요. 제 수하들을 이끌고 놈을 잡아 오겠습니다."

"으음, 자네라면 능히 그 신비인을 잡을 수 있겠지만, 어쨌든 보민도 쉽게 그자를 생포하지 못한 걸로 보아 꽤 조심해야 할 걸세."

"명심하겠습니다. 어쨌든 보민과 함께 힘을 합치면 충분히 잡을 수 있을 겁니다."

"좋아, 그럼 가 보게."

대화를 끝으로 제갈보령이 자리에서 일어났다.

"놈의 위치는?"

제갈보령은 객잔 입구 쪽으로 걸음을 옮기며 물었다. 보고하러 왔던 무사가 서둘러 대답했다.

"북성로 쪽으로 향하고 있다고 합니다."

"북성로라."

제갈보령은 곧 객잔 밖에 대기하고 있던 수하들과 함께 서둘러 북쪽 거리로 달려가기 시작했다.

'역시 석정이구나.'

담우천은 빠르게 머리를 굴렸다.

북성로에는 강만리의 화평장이 있었다. 석정으로 추측되는 자의 의도는 정확하게 알 수 없으나, 자칫 이 무적가 사람들을 강만리에게 안내하는 꼴이 될 수가 있었다.

'지금 상황에서는 그걸 막는 게 최우선이겠구나.'

빠르게 결정을 내린 담우천은 곧장 천장을 빠져나와 객잔 지붕 위로 올라섰다. 멀리 어둠 저편으로 제갈보령과 대여섯 명의 수하들이 밤거리를 질주하는 모습이 희미하게 보였다. 담우천은 곧장 그들을 향해 신형을 날렸다.

"이상하군."

제갈보광은 다시 천장을 올려다보며 중얼거렸다.

"분명 무언가 있는 것 같은데……."

그는 최대한 이목을 집중해서 천장 주변의 기척을 확인했다. 하지만 들리거나 느껴지는 건 아무것도 없었다.

"아무래도 내가 조금 과로를 한 모양이군그래."

제갈보광은 양쪽 관자놀이를 지그시 누르며 중얼거렸다.

2. 모두 죽을 수도 있다

제갈보광의 대화에 언급된 신비인은, 역시 담우천의 추측대로 황계 장원의 지하 밀실을 빠져나온 석정이었다.

지하 밀실의 비밀 통로를 통해 그가 당도한 곳은 불타오르는 장원에서 두 채 떨어진 조그만 가옥이었다. 그곳에는 황계 사람이 미리 대기하고 있다가 낮은 목소리로 말했다.

"강만리는 지금 북성로에 장원을 구입, 다른 형제분들

과 함께 그곳에 머무르고 있습니다."

지하 밀실에 들어온 지 일 년이 넘은 석정이었다. 강만리가 새로 장원을 구입했다는 건 처음 듣는 이야기였다.

"고…… 고맙소. 하마터면…… 예, 옛 장원을 찾아갈…… 뻔했소."

석정은 더듬거리며 말했다.

아무래도 이렇게 대화를 나누는 게 오래간만이라 혀가 굳은 모양이었다.

황계의 수하는 전혀 개의치 않고 말했다.

"원래라면 제가 그곳으로 안내해 드려야 하지만, 워낙 상황이 좋지 않습니다. 제가 함께 움직이면 외려 문제가 발생할 수 있습니다. 그러니 아무래도 석 대협께서 직접 그곳을 찾아가셔야 할 것 같습니다."

"사, 상관없소."

"그럼 자세한 위치는……."

성도부 포쾌로 십 년 가까운 세월을 지내 온 석정이었다. 성도부라면 골목 하나까지 제 손금 들여다보듯 자세하게 알고 있는 그였다. 그러니 대충 설명해도 충분히 그곳이 어디인지 아는 게 정상이리라.

하지만 석정은 마치 머릿속에 안개라도 낀 듯 뿌연 상태라 몇 번을 듣고서야 겨우 그 위치를 대충 파악할 수 있게 되었다.

'이상하군. 마치 잠에서 덜 깬 상태 같아.'

석정은 고개를 갸웃거리면서 황계의 수하와 작별을 나눈 후 곧장 북쪽으로 발길을 옮겼다.

한밤중이었지만 화재 탓인지 거리에는 제법 많은 사람들로 붐볐다. 석정은 그들 사이를 비집고 지나쳐 북성로로 향했다.

얼마나 걸었을까.

누군가 그를 불러 세웠다.

"잠깐만 멈추시오."

등 뒤에서 들려온 나지막한 목소리는 제법 정중했지만 위협에 가까운 위압감이 그 속에 담겨 있었다.

석정은 걸음을 멈추지 않았다. 그저 고개를 숙인 채 계속해서 제 갈 길을 걸었다.

목소리의 임자가 다시 한번 그를 멈춰 세웠다.

"잠깐만!"

이번에는 조금 전보다 훨씬 고압적인 목소리였다.

석정은 여전히 걸음을 멈추지 않았다. 그러자 이번에는 호통이 쏟아졌다.

"어허! 말로 해서는 안 되겠구나!"

동시에 석정의 어깨를 붙잡는 손길이 있었다. 석정은 전혀 신경 쓰지 않고 계속해서 부지런히 걸었다. 석정의 어깨를 쥔 손에 힘이 가해졌다. 무공을 모르는 사람이라면 어깨뼈가 으스러지는 듯한 고통을 느낄 정도의 힘이었다.

하지만 석정은 무표정한 얼굴로 계속해서 걸었다.

"이 자식이!"

목소리의 임자가 벌컥 화를 내며 석정의 어깨를 확 낚아챘다. 최소한 이삼십 년의 내공이 실린 손길이었다. 어지간한 강호인들도 확 나자빠질 법한 위력이었다.

석정은 그제야 걸음을 멈췄다. 그러고는 손을 들어 자신의 어깨를 낚아챈 손을 잡아챘다. 상대는 석정의 손길을 뿌리치려 했지만 석정의 손은 갈퀴처럼 그의 손을 움켜쥐었다.

"으음?"

목소리가 급변했다. 목소리에 색깔이 있다면 회색, 혹은 묵색에 가까운 느낌.

그게 끝이 아니었다.

"왜 그래, 자청?"

동료인 듯한 자가 뭔가 이상하다는 듯 물었을 때, 석정에게 손이 잡힌 자는 제자리에 털썩 무릎을 꿇더니 그대로 앞으로 꼬꾸라졌다.

"자청!"

동료가 깜짝 놀라 그를 부축하며 흔들었다. 하지만 이미 자청이라는 사내는 절명한 상태였다.

"왜? 어떻게?"

동료가 당황하여 어찌할 바를 몰라 할 때, 석정은 그 동료의 어깨를 움켜쥐었다. 아차, 하는 순간 석정의 손톱이 사내의 어깨에 파고들었다.

사내가 깜짝 놀라며 석정의 손길을 뿌리치려 했다. 하지만 석정의 손은 통나무처럼, 고목나무처럼 꿈쩍도 하지 않았다.

"이 자식이!"

사내는 뒤늦게 칼을 뽑아 들고 석정을 향해 휘두르려 했다. 하지만 칼을 뽑아 들려는 순간 갑자기 다리에서 힘이 풀리더니 정신이 몽롱해지며 숨이 막혔다. 사내의 눈이 뒤집혔다.

"으으……."

사내는 기이한 소리를 내면서 축 늘어졌다. 석정이 손을 거두자 사내는 볏짚처럼 쓰러졌다. 조금 전 동료와 마찬가지로 눈 깜짝할 사이 절명한 것이다.

석정은 제 손을 내려다보았다. 울퉁불퉁하고 거무튀튀한 손가락 끝에는 칼날처럼 날카롭게 자란 손톱이 있었다. 짙은 자줏빛으로 물들어 있어서 보기만 해도 가슴 섬뜩해지는 손톱이었다.

'생각보다 훨씬 강력한데?'

석정은 희미하게 웃다가 이내 고개를 갸웃거렸다.

'아니, 이자들이 생각보다 훨씬 약한 것일지도…….'

모든 게 첫 경험이었다.

이것도 싸움이라면 황계 사람을 제외하고 처음 싸운 것이고, 또 사람을 죽인 것도 처음이었다.

하지만 특별한 감정은 들지 않았다. 일 년간의 밀실 생활이 석정의 감정을 무디게 만든 것인지, 아니면 뿌연 머릿속처럼 아직 제정신이 들지 않은 것일 수도 있었다.

'이러고 있을 시간이 없지. 형님에게 가야 한다.'

석정은 다시 몸을 돌려 북쪽으로 걸음을 옮겼다. 그러나 조금이라도 빨리 강만리에게 가야겠다는 그의 계획은 쉽게 이뤄지지 않았다.

"자청! 유경!"

석정의 등 뒤에서 이미 죽은 자들을 부르는 자들이 있었고, 또 다른 자들이 달려와 순식간에 석정을 포위했다.

"누구냐! 누구이기에 감히 우리 무적가 사람들에게 살수를 펼친 것이냐?"

석정을 에워싼 자들이 소리쳤다. 석정은 주변을 둘러보다가 불쑥 외쳤다.

"가, 강 대장!"

그는 에워싼 자들은 아랑곳하지 않은 채 다시 북쪽으로 발길을 옮겼다. 이번에는 경신술을 펼쳐서 보다 빠르게 그곳을 빠져나가려고 했다.

"어딜 감히!"

무적가의 무사들이 칼과 검을 빼 들고는 그대로 석정을 향해 덮쳐 갔다.

"강 대장!"

석정은 마구 두 손을 휘저으며 크게 소리쳤다.

그렇게 가고자 하는 이와 막고자 하는 자들의 기이한 싸움이 시작되었다.

* * *

"이런."

제갈보령의 눈살이 절로 찌푸려졌다.

밤거리에는 시신들이 아무렇게나 쓰러져 있었는데, 그 시신들 모두 무적가의 무사들이었던 것이다.

잠시 발밑의 시신을 내려다보던 제갈보령은 고개를 들어 북쪽으로 시선을 돌렸다. 시신들이 북쪽 방향으로 띄엄띄엄 쓰러져 있는 걸 보면 그들을 죽인 자의 행방이 어느 쪽으로 향했는지 쉽게 알아차릴 수가 있었다.

"무적가 사람들을 죽여 놓고서 아무런 뒤처리도 하지 않다니, 그렇게나 자신이 있다는 건가? 그렇게 본 무적가를 우습게 생각하는 건가?"

제갈보령의 눈가에 핏발이 섰다. 하지만 그는 침착함을

잃지 않았다. 그는 무적가 무사들을 살해한 자를 추격하기에 앞서 먼저 시신들의 사인을 알아보고자 했다. 그는 무릎을 꿇고 시신의 상태를 확인했다.

묘한 일이었다.

시신의 외견이 말짱한 것이 검상이나 도상(刀傷) 같은, 병장기에 의해 입은 상처가 전혀 보이지 않았다.

"내가중수법(內家重手法)인가?"

제갈보령은 심각한 표정을 지으며 중얼거렸다.

내가중수법은 내공 등을 이용하여 상대의 피부와 근골(筋骨) 안쪽, 내장이나 심장, 뇌 등을 공격하여 살해하는 수법을 가리키는 것으로, 살해범이 상당한 내공의 고수나 심공(心功)의 달인이라는 걸 의미했다.

진지하고 세밀하게 시신을 살펴보던 제갈보령의 눈빛이 문득 기이하게 빛났다. 그는 얼른 손을 뻗어 시신의 손목을 들어 올렸다.

시신의 손목 안쪽으로 마치 손톱에 긁힌 듯한, 혹은 무언가 날카로운 것에 찔린 듯한 상처가 조그맣게 나 있었는데 그 부분이 시퍼렇게 변색되어 있었다.

제갈보령은 코를 가까이 가져다 대고 킁킁거렸다. 달걀 썩은 듯한 냄새가 희미하게 풍겼다. 순간 그의 안색이 급변하면서 저도 모르게 소리쳤다.

"독?"

그의 얼굴은 조금 전 내가중수법을 떠올렸을 때보다 훨씬 더 침중하고 딱딱하게 굳어졌다.

내가중수법을 사용하는 무공의 고수라면 그래도 제갈보령이 상대할 수 있었다.

만약 그만의 능력으로 부족하다면 제갈보민과 힘을 합치면 된다. 그들 두 명이면 설마 상대가 구파일방의 장문인이라 할지라도 능히 상대할 수 있을 테니까.

하지만 상대가 독공(毒功)의 고수라면 말이 달라진다. 정면으로 부딪쳐 싸우는 게 아닌 이상, 독공의 고수를 상대로 이길 자신은 전혀 없었다. 독공이 무서운 건 바로 그 점에 있었다.

능히 일당백의 위력을 낼 수 있는 게 독공이었다. 내공이 전혀 없어도 소림사 장문인을 해치울 수 있는 게 독공이었다. 언제 어떻게 중독되었는지 모른 채 목숨을 잃는 게 독공이었다.

반면 독공은 익히기가 어려웠다. 독을 다루다가 중독되어 반신불구가 되거나 흉측한 몰골이 되거나 혹은 목숨을 잃는 경우도 왕왕 있었다.

무엇보다 독공의 고수가 절대적으로 부족한 만큼 애당초 독공 자체를 배우기가 어려웠다.

바로 그러한 이유 때문에, 강호무림에 무공의 고수는 많아도 독공의 고수는 흔치 않았다. 그러나 한 번 독공의 고수가 등장할 때마다 강호가 들썩거리고 수백수천의 고수들이 목숨을 잃었다.

"독공이라니……."

제갈보령은 쉽게 믿을 수가 없었다. 그는 다른 시신들도 계속해서 사인을 확인했다.

역시 검상이나 도상은 보이지 않았다. 대신 손이나 어깨, 혹은 옆구리에 시퍼런 멍처럼 생긴 흔적이 있었고, 그곳에서 달걀 썩은 냄새가 희미하게 풍겼다. 독공의 흔적이었다.

'상대가 독공의 고수라는 사실을 모른다면…….'

일곱 번째 시신을 확인하고 자리에서 일어서는 제갈보령의 안색은 새파랗게 질려 있었다.

'모두 죽을 수도 있다.'

그는 뒤를 따르고 있는 보좌관과 수하들을 향해 재빨리 말했다.

"보민 측 사람들에게 연락해라. 상대는 독공의 고수이니 절대로 함부로 싸우지 말라고 말이다."

수하들이 흠칫했다. 하지만 곧바로 고개를 숙이며 대답했다.

"존명!"

동시에 한 명의 수하가 품에서 호각을 꺼내 입에 물었다. 길고 짧은 호각음이 불규칙하게 반복되었다. 호각 소리가 사방으로 퍼지는 가운데 두 명의 수하가 동시에 몸을 날렸다.

물론 호각 소리로 모든 이야기를 나눌 수는 없었다. 가령 독공의 고수라는 단어가 미리 약속한 호각음에 포함되어 있지 않다면, 어떤 식으로 호각을 불어도 그 의미를 전달할 수가 없었다.

그래서 호각을 통해 제갈보민 측에 '급한 전갈이 있으니 바로 만나자'라는 신호를 보내고, 그 약속한 장소로 두 명의 수하가 달려간 것이었다.

제갈보령은 다시 시신들을 따라 북쪽 거리로 발길을 옮겼다. 그 뒤로 이제 세 명만 남게 된 수하들이 조심스레 주위를 경계하며 움직였다.

3. 열네 번째 고수

제갈보령의 곁을 떠난 두 명의 수하는 약속한 장소를 향해 말처럼 빠른 속도로 질주했다. 화재가 발발한 남쪽 거리와는 달리, 어둠이 짙게 가라앉은 북쪽 거리에는 한 명의 행인도 보이지 않았다.

그때였다.

한 가닥 서늘한 미풍이 무적가 무사들의 목 언저리를

스치고 지나갔다.

뒤늦게 무사들이 희미하게 번뜩이는 빛무리를 본 것 같다고 생각할 때였다. 그들의 목이 미끄러지듯 잘려 나가 몸에서 떨어져 나갔다.

목이 잘린 무사들은 그 후로도 한참이나 달려가다가 앞으로 꼬꾸라졌다.

베인지도 모르고 죽은 두 명의 무사들 위로 하나의 검은 그림자가 표표히 내려섰다. 객잔을 떠나 지금껏 제갈보령의 뒤를 쫓아온 담우천이었다.

그는 칼집에 칼을 넣으며 중얼거렸다.

"다른 무적가 사람들에게 석정이 독공을 익혔다는 걸 굳이 알게 할 필요가 없지."

담우천은 힐끗 북쪽 방향으로 시선을 돌렸다.

석정이 향하고 있는 방향, 그리고 제갈보령이 그를 추격하고 있는 방향이었다. 그 끝에는 강만리와 가족들이 거주하는 화평장이 있었다.

담우천은 다시 그 방향을 향해 경신술을 펼쳤다. 이내 그의 신형이 화살처럼 빠르게 북성로를 향해 날아갔다.

"독공이라니, 그 부분에서는 확실히 나도 놀랐다."

그는 무심한 눈빛으로 정면을 주시하며 중얼거렸다.

"지난 일 년 동안 도대체 무슨 일이 있었던 건가, 석정?"

담우천은 한숨을 쉬었다.

그 역시 어린 시절부터 혹독한 폐관 수련을 해 왔기에 익히 잘 알고 있었다.

무공을 모르는 자가 단시일 내에 절정의 고수가 되기 위해서는 얼마나 지난한 노력을 해야 하는지, 얼마나 힘들고 고통스러운 과정을 겪어야 하는지 말이다.

담우천의 뇌리에는 저도 모르게 석정이 지난 일 년 동안 겪었을 그 잔인할 정도로 고된 수련과 차라리 죽는 게 나을 정도로 고통스러운 나날이 떠올랐다.

아마도 석정은 독공의 고수가 될 가능성 하나만을 붙잡고 그 지옥 같은 일 년을 버티고 견뎌 냈을 것이다.

"부디……."

담우천은 기도처럼 중얼거렸다.

"몸과 영혼이 온전하기를……."

* * *

"금강불괴(金剛不壞)라도 된단 말이더냐!"

제갈보민은 믿을 수 없다는 듯이 소리쳤다. 지금 그의 눈에는 분노와 증오의 불길이 이글이글 타오르고 있었다.

당연했다. 지금 수십 명의 무적가 무사들에 둘러싸인 저 개자식이야말로 자신의 수하들을 무려 열세 명이나 죽인 자였다.

하지만 믿을 수 없게도, 놈은 무적가 고수들이 휘두르는 칼과 검에 수십 차례나 찔렸음에도 불구하고 전혀 상처를 입지 않았다.

아니, 상처는커녕 외려 무적가 고수들의 칼과 검이 놈을 찌를 때마다 챙! 하고 병장기 부딪치는 소리와 함께 무기들이 튕겨 나가기 일쑤였다.

놈의 피부는 강철처럼 단단하고 육체는 강시처럼 튼튼했다. 전력을 다해 목을 후려쳐도, 필생의 내공을 실어 가슴을 찔러도 아무런 소용이 없었다.

"나와 봐라!"

참다못한 제갈보민이 크게 소리치며 한 걸음 앞으로 걸어 나갔다. 놈을 에워싼 포위망의 한쪽이 열렸다.

"갈(喝)!"

제갈보민은 크게 기합을 내지르며 일장을 뻗었다. 무적가 가전 절기인 화염신장(火焰神掌)의 뜨거운 열양지력(熱陽之力)이 그의 손바닥에서 분출되었다. 그 열양지력은 이내 한 마리 화룡(火龍)으로 변하여 맹렬한 기세로 놈을 향해 폭사했다.

쾅앙!

마치 천 근 바위와 부딪치는 듯한 굉음이 일었다. 제갈보민의 입가에 미소가 스며들었다.

'내 팔성의 공력을 담은 일격이다. 그걸 정통으로 얻어 맞고서 버틸 인간이 세상에 어디⋯⋯.'

"이런!"

내심 득의하여 중얼거리던 제갈보민이 깜짝 놀라 저도 모르게 소리쳤다.

"믿을 수 없다! 진짜 금강불괴라도 된다는 말이냐?"

확실히 믿을 수 없는 광경이었다.

제갈보민의 팔성 공력이 실린 화염신장에 격중당하고서도 놈은 여전히 우뚝 서 있었다.

옷은 화염신장의 열기를 견디지 못하고 불에 탄 듯 재가 되었지만, 격중당한 충격을 견디지 못하고 일곱 걸음이나 뒤로 물러나기는 했지만 어쨌든 놈은 여전히 별다른 충격을 입지 않은 듯 우뚝 선 채 무적가 무사들을 노려보고 있는 것이다.

"이, 이 개자식이!"

제갈보민의 얼굴이 분노와 수치심으로 인해 시뻘겋게 달아올랐다.

"오늘 네놈에게 세상이 넓고, 하늘이 높다는 사실을 가르쳐 주지 않으면 내가 사람이 아니다!"

제갈보민의 장삼 자락이 크게 부풀어 오르기 시작했다.

"으아아아!"

분노하기는 졸지에 화염신장을 얻어 맞은 자, 즉 석정도 마찬가지였다.

그는 그저 강만리에게 가고자 했을 뿐이었다. 그런데 다짜고짜 자신의 길을 막고 행패를 부리는 자들이 있기에 가볍게 손봐 줬던 것이다.

죽이고자 하는 의도도 없었다. 단지 자신을 방해하지 말기를 바랄 따름이었다. 그런데도 계속해서 놈들은 그의 앞길을 막고 그를 향해 연신 칼을 휘두르고 검을 날렸다.

어찌 화가 나지 않을 수 있겠는가.

그런 상황에서 느닷없이 뜨거운 장력을 퍼부어 그의 옷까지 다 태워 버렸으니, 석정의 코에서 뜨거운 김이 뿜어져 나오는 건 당연한 일이었다.

그나마 다행인 건 저 무지막지한 자들의 핍박을 받으면서도 석정의 몸에는 상처 하나 나지 않았다는 점이었다.

하기야 매일처럼 복용한 약물과 영약으로 인해 그는 벌써 거의 일 갑자에 가까운 내공을 소유하고 있었다. 또한 매일 몸을 담근 약물과 외공 덕분에 그의 몸은 금강불괴처럼 단단했다. 저 황계의 조 황백조차도 석정의 강철과도 같은 육체와 넘쳐흐르는 내공을 어찌하지 못하고 결국 패배를 선언할 정도였으니까.

"왜 강 대장을 만나지 못하게 하는 거야?"

석정은 소리치며 마구 쌍수를 휘둘렀다. 그가 한 번씩

팔을 휘두를 때마다 모든 걸 찢어발길 듯한 파공성이 태풍처럼 휘몰아쳤다.

또한 시퍼런 그의 손톱이 어둠 속에서도 스산한 빛을 번뜩거렸다. 그 손톱에 조금이라도 긁히거나 하는 날에는 불과 열을 헤아리기 전에 목숨을 잃을 터였다. 석정이 이곳까지 오면서 죽인 십수 명의 고수들처럼.

그를 에워싸고 있는 무적가 고수들은 이미 그 사실을 감지하고 있는 듯했다. 그들은 석정이 손을 휘두르고 팔을 뻗을 때마다 굳이 막거나 역공을 펼치는 대신, 빠르게 보법을 밟으며 공격을 피했다.

"놈의 손톱에는 절독(絶毒)이 묻어 있다! 암기를 사용할 가능성도 매우 높다!"

무적가 고수들 몇몇은 그렇게 소리치며 동료들의 주의를 환기시켰다.

"놈의 무공은 생각보다 형편없다! 한눈만 팔지 않는다면 결코 놈의 손에 잡히지 않을 것이다!"

석정의 무위를 파악한 듯 중년 사내 한 명이 크게 소리쳤다. 때마침 석정이 그 중년 사내에게로 덤벼들며 팔을 휘둘렀다. 검법의 기초 초식 중 하나인 횡소천군(橫掃千軍)을 변형한 공격이었다.

중년 사내는 가볍게 몸을 날려 뒤로 훌쩍 물러나려 했다. 바로 그 순간이었다.

마치 벌에 쏘이기라도 한 듯 그의 허벅지가 따끔거렸다.

'응?'

일순 그의 안색이 급변했다. 벌에 쏘인 듯한 다리가 금세 마비가 되며 뜻대로 움직이지 않는 것이었다. 아차, 하는 순간에 석정이 빠르게 다가왔다. 권각술에 비해 놀라울 정도로 빠른 신법이었다.

"어딜!"

중년 사내는 고함을 지르며 칼을 휘둘렀다. 그의 동료들도 다급한 안색으로 칼과 검을 휘두르며 석정의 등과 옆구리를 쑤셨다.

하지만 석정은 그들의 공세에 전혀 개의치 않고 오로지 중년 사내의 목을 노리고 팔을 뻗었다. 중년 사내는 새파랗게 얼굴을 질린 채 황급히 목을 꺾어 피하려 했다.

챙! 챙! 챙!

요란한 소리가 울려 퍼지는 가운데, 석정의 손이 중년 사내의 목을 스치고 지나갔다. 그의 목에 마치 고양이가 할퀸 것처럼 손톱자국이 났다.

"이, 이 개자식이……."

중년 사내는 시뻘겋게 충혈된 눈으로 석정을 노려보며 전력을 다해 칼을 휘둘렀다.

챙! 하는 소리와 함께 칼이 튕겼다. 그 반탄력을 견디지 못한 중년 사내가 칼을 놓치고 말았다. 믿을 수 없는 일이었다. 그와 같은 절정의 고수가 갓 무공을 배운 애송이처럼 칼을 놓치다니.

당황한 그는 황급히 몸을 숙여 떨어뜨린 칼을 주우려 했다. 하지만 몸을 숙인 순간, 그는 두 번 다시 몸을 일으켜 세울 수가 없게 되었다.

쿵! 소리와 함께 머리부터 땅에 내리꽂은 그는 부르르 크게 몸을 떨고는 그대로 즉사했다.

그렇게 중년 사내는 석정에게 목숨을 잃은, 열네 번째의 무적가 고수가 되었다.

5장.
복마전(伏魔殿)

내 가족, 형제들에게 위해를 가하지 못하게 할 것이다.
설령 그게 황계, 아니 태극천맹이 되었다 할지라도 말이다.
그로 인해서 무림 공적이 된다 하더라도……
두 번 다시 이런 일을 겪지 않게 할 것이다.

복마전(伏魔殿)

1. 독중지인(毒中之人)

석정과 제갈보민들이 싸우고 있는 현장에 먼저 당도한
건 제갈보령이 아닌 담우천이었다.

제갈보령은 길거리에 나자빠져 있던 무적가 무사들의
시신을 일일이 확인하느라 시간이 지체되었고, 반면 석
정은 지붕과 지붕 위를 일직선으로 곧장 날아갔기 때문
에 벌어진 차이였다.

담우천이 그 현장에 당도했을 때, 놀랍게도 석정은 제
갈보민과 이삼십 명의 무적가 고수들을 상대로 싸우고
있었다. 불과 일 년 전만 하더라도 성도부의 평범한 포쾌
에 지나지 않았던 석정이 지금은 강호의 절정 고수인 제

갈보민의 화염신장에 격중당하고도 별다른 충격을 입지
않을 정도로 강해진 것이었다.

'금강불괴?'

담우천은 골목 안쪽 어둠 속에 몸을 숨긴 채 가만히 그
들의 싸움을 지켜보았다.

'금강불괴는 일 년 만에 그 성취를 얻을 수 있을 정도로
만만한 외공이 아니다. 그렇다면 약물과 대법을 통해서
금강불괴와 비슷한 위력을 내는 몸으로 변화시켰을 가능
성이 높다.'

석정의 몸을 살펴보던 담우천의 눈빛이 어느 한순간 파
르르 떨렸다.

'저 손은?'

담우천의 시선이 석정의 손에 머물렀다. 파랗다 못해
새까맣게 보일 정도로 탈색한 피부는 악어의 등껍질처럼
딱딱하게 변해 있었다.

거기에다가 시퍼렇게 물든, 길게 자란 손톱은 한눈에
보더라도 독공을 익힌 게 분명해 보였다.

'구독백골조(九毒白骨爪)일까?'

그 시퍼런 손톱을 보자마자 담우천은 반사적으로 구독
백골조를 떠올렸다. 과거 정사대전 당시 수많은 백도정
파의 고수들을 독살시켰던 그 저주의 독공.

황계라면 당연히 구독백골조의 수련 방식에 대해서 잘

알고 있을 터, 석정에게 그 독공을 전수해 주었다 하더라
도 전혀 이상할 게 없었다.

'어쩌면 석정은 최대한 빨리 절정의 고수가 되기 위해
서 스스로 원했을지 모른다.'

담우천은 침중한 낯빛을 한 채 그렇게 생각했고, 그 추
측은 정확했다. 일 년 전 황계는 석정에게 세 가지 수련
방식을 이야기했는데 그중 세 번째 방법이 바로 독공이
었던 것이다.

                    * * *

"독공은 확실히 최단 시간 내에 절정의 고수가 될 수
있는 아주 뛰어난 방법이라 할 수 있소. 게다가 현 강호
무림에는 독공을 익힌 자가 그리 많지 않은 바, 거의 접
해 보지 못한 독공이라면 가히 천하무적에 가까운 위력
을 발휘할 수 있을 것이오."

조 황백의 말에 석정은 반사적으로 말했다.

"그럼 독공을 배우겠습니다."

조 황백은 고개를 저었다.

"하지만 독공은 그 엄청난 위력만큼 커다란 단점이 있
소이다."

"단점이요?"

"그렇소. 첫·번째로는 독공을 익히면 평소에도 그 독기가 뿜어져 나와 주변 사람들을 중독시킬 수 있소이다. 그래서 독공의 고수들은 늘 고독했소. 물론 후손을 볼 생각은 애당초 할 수가 없소이다."

"으음."

석정의 얼굴이 굳어졌다.

주변 인물들과 가까이 지낼 수 없다는 건, 아닌 게 아니라 확실히 커다란 단점이었다. 게다가 후손을 볼 수가 없다는 건 그야말로 치명적인 단점이었다. 왜 독공을 익히는 자가 점점 더 줄어드는지 그 이유를 알 것 같았다.

"그뿐만이 아니오."

조 황백은 딱딱한 어조로 계속해서 말했다.

"평소에는 사슴 가죽으로 만든 장갑이나 특별히 제작한 피독(避毒) 장갑을 착용해야 하오. 체내의 독기(毒氣)를 유지하기 위해 늘 독약이나 독물을 복용해야 하오."

가만히 듣고 있던 석정의 얼굴에 식은땀이 흐르기 시작했다. 조 황백은 쉬지 않고 말을 이어 나갔다.

"또한 신체의 변형을 각오해야 할 것이오. 두꺼비의 등처럼 흉측한 몰골로 바뀔 수도 있고, 언어 능력을 잃거나 두뇌 회전이 느려질 수도 있소. 만에 하나 독기가 머리까지 파고든다면 심지어 이성을 잃고 무작정 살수만을 펼치는 광인(狂人)이 될 수도 있소이다."

게서 조 황백은 잠시 입을 다물었다.

꿀꺽.

석정은 저도 모르게 마른침을 삼켰다.

"휴우."

그는 소매로 이마를 한 번 훔쳐 내며 길게 한숨을 내쉬었다. 소매가 흥건하게 젖었다.

조 황백은 가만히 석정을 바라보다가 조금은 더 부드러워진 목소리로 말했다.

"그런 까닭에 우리들도 독공을 속성으로 익히는 방법을 알고 있음에도 불구하고 지금껏 사용하지 않고 있는 것이오. 독중지인(毒中之人), 즉 독왕(毒王)이나 독신(毒神)의 경지에 오르지 못하는 이상, 결국에는 미쳐 날뛰다가 죽는 경우가 대부분이니까 말이오."

일순 석정이 눈빛을 반짝였다.

"아니, 그럼 독중지인이 되면 괜찮아진다는 말씀이십니까?"

"그건 그렇소. 독중지인이 되면 내공으로 독기를 갈무리하여 내단(內丹)처럼 만들 수 있소. 즉, 독기가 밖으로 흘러나오지 않기 때문에 주변 사람들과 접촉할 수도 있고 평범한 사람처럼 지낼 수 있다오."

"그럼 독중지인이 되겠습니다!"

"하지만 독중지인은 그렇게 쉽게 되는 게 아니라오. 무공으로 도를 깨달아 경지에 오르는 것보다 몇 배, 몇십 배는 더 어렵고 험난하다오. 심지어 저 사천당문이나 묘강의 묘독문에서도 지금껏 단 한 명도 배출하지 못한 게 독중지인이라오."

사천당문이나 묘독문은 독술로만 치자면 천하제일을 다투는 문파였다. 그런 문파에서도 지난 수백여 년간 단 한 명의 독중지인도 만들어 내지 못했던 것이다.

하지만 석정의 결심은 흔들리지 않았다.

"정상(頂上)이 있다면 반드시 그곳으로 향하는 길이 있을 것이고, 길이 있다면 반드시 끝까지 걸어갈 자신이 있습니다. 다른 건 몰라도 인내심하고 끈질긴 것 두 개만큼은 자신이 있거든요. 강 형님께서도 혀를 내두르셨다니까요."

석정은 자신만만하게 말했다.

"세 번째 방법, 독공을 배우겠습니다. 잘 가르쳐 주십시오."

조 황백은 가만히 그를 바라보다가 한숨을 쉬며 고개를 끄덕였다.

"알겠소. 한번 해 봅시다."

* * *

그렇게 배우게 된 독공이었다.

확실히 조 황백의 말처럼 독공은 경천동지할 정도의 위력을 지니고 있었다. 저 무적가 고수들마저 석정의 일초를 견뎌 내지 못한 채 허수아비처럼 쓰러졌으니까.

반면 단점 또한 평범하지 않았다. 무엇보다 석정의 외관이 몰라볼 정도로 변했다는 점이었다.

그의 얼굴은 독기로 인해 생긴 종기들과 종기가 곪아 터져서 만들어진 상처로 인해 곰보처럼 흉측하게 변해 있었다. 손등이나 팔뚝, 허벅지의 피부는 악어나 고목의 껍질처럼 단단하게 갈라졌다.

평소에는 몸 밖으로 흘러나오는 독기를 막기 위해서 반드시 사슴 가죽으로 만든 장갑과 옷, 신발을 착용해야 했다. 그것들이 없다면 석정이 접촉하는 것뿐만 아니라 그의 주변, 반경 약 반 장 안에 있는 모든 것들이 중독되어 목숨을 잃었다.

변한 건 외양뿐만이 아니었다. 석정의 말투는 어눌해졌으며 생각이 느려졌다. 요즘 들어서는 기억력마저 쇠퇴하는 것 같았다. 과거 함께 근무했던 동료 포쾌들의 이름이 하나도 떠오르지 않는 게 바로 그런 것들이었다.

하지만 석정은 후회하거나 슬퍼하지 않았다. 외려 무적가 고수들과 싸우면서 그는 더욱 흥분했고, 더욱 감격에 젖었다.

'이제 나도 강 형님께 도움이 될 수 있겠구나!'

드디어 한 사람 몫을 해낼 수 있게 되었다는 흥분에 휩싸인 채 석정은 계속해서 주먹을 날리고 손을 뻗어 무적가 고수들을 움켜쥐려 했다.

담우천은 가만히 그 움직임을 지켜보았다.

'외공이나 독공에 비해 무공 수위 자체가 현저히 낮다. 그런 까닭에 무적가 사람들이 좀처럼 그의 손에 잡히지 않고 있어.'

담우천은 금세 상황을 파악했다.

그는 곧 길바닥의 돌멩이를 주워 들어 잘게 부순 후, 때를 노려 무적가 무사들에게 집어던졌다.

새끼손가락의 손톱보다도 잘게 부서진 돌조각이 암기처럼 쏘아졌고, 정확하게 무적가 무사의 허벅지나 종아리를 때렸다.

'헛!'

돌 조각에 격중당한 무사들은 순간 혈도가 봉쇄된 듯 움직이지 못했고, 그렇게 움찔거리는 동안 석정의 손톱이 정확하게 그들을 후려쳤다. 그 상처를 통해 손톱의 독기가 빠르고 깊숙하게 파고들었다.

그 독기는 순식간에 심장까지 흘러들었고, 결국 무적가 무사들은 꼼짝도 하지 못한 채 즉사했다.

그렇게 십여 명의 무사를 잃고 나서야 제갈보민은 뭔가 상황이 이상하게 흐르고 있다는 사실을 깨달았다. 석정의 손에 목숨을 잃는 무사들은 반드시 그 전에 경직된 듯 몸을 움직이지 못했던 것이다.

'뭐지? 놈이 독수를 사용하기 전에 미리 암기를 던져서 움직임을 봉쇄하는 건가?'

제갈보민은 예리한 눈빛으로 석정의 움직임을 지켜보았다. 하지만 아무리 살펴보아도 석정이 암기를 발출하는 듯한 행동은 찾아볼 수가 없었다.

'그렇다면?'

제갈보민은 주위를 둘러보며 이목을 집중했다.

달빛마저 없는, 그래서 한껏 어둠에 잠식된 길거리. 아무것도 보이지 않는 가운데 희미한 소리가 제갈보민의 귀에 잡혔다.

한껏 청각을 끌어올리지 않았더라면 결코 들을 수 없을 정도로 미세한 소리. 피융! 하고 바람을 가르며 무언가 쏘아지는 듯한 소음.

'그곳이더냐!'

제갈보민은 소리의 진원지를 확인하자마자 벼락처럼 몸을 날렸다. 순식간에 사오 장의 거리를 격하고 골목길 안쪽으로 날아들어선 제갈보민은 그곳에서 몸을 웅크리고 있는 물체를 향해 다짜고짜 일장을 휘갈겼다.

화염신장의 뜨거운 열기가 골목길을 휘감는 순간, 탁한 신음 소리가 그 열기 사이로 새어 나왔다.

"헉……."

2. 보금자리

제갈보민은 일장을 휘갈기다말고 가슴을 부여잡은 채
비틀거렸다.

"이런……."

그는 믿을 수 없다는 얼굴로 제 가슴을 내려다보았다.

언제 찔렸을까.

제갈보민의 가슴에는 날카로운 무언가에 찔린 구멍이
나 있었고, 그 구멍을 통해 피가 콸콸 흘러나오고 있었
다. 빠르게 기습을 펼치려고 했던 그가 외려 그 상대로부
터 암습을 당한 것이었다.

제갈보민은 다시 고개를 들었다. 그의 정면에는 검 한
자루를 쥔 사내가 우뚝 서 있었다.

"어, 어떻게……."

어떻게 내 기습을 알아차렸냐는 질문일까.

아니면 어떻게 내게 기습을 펼친 거냐는 물음일까.

사내, 담우천은 무심한 어조로 말했다.

"다른 건 몰라도 암습 하나만큼은 나 스스로를 천하제
일이라고 생각하고 있다."

담우천은 천천히 무너지는 제갈보민을 내려다보며 말을 이었다.

"그런 나를 상대로 기습을 펼치려 하다니, 그야말로 불에 뛰어드는 불나방 같은 꼴이 될 수밖에 없는 것이지."

제갈보민은 담우천의 말을 끝까지 듣지 못한 채 앞으로 쓰러졌다.

그가 더 이상 숨을 쉬지 않는다는 걸 확인한 담우천은 곧 시선을 돌려 석정을 바라보았다. 여전히 그는 무적가 무사들에게 둘러싸인 채 쉬지 않고 손을 휘두르고 있었다.

담우천은 문득 남쪽 방향으로 고개를 돌렸다. 이쪽 방향으로 다가오는 인기척이 느껴졌던 것이다.

'제갈보령 일당인가 보구나.'

담우천의 눈빛이 예리하게 빛났다.

저들이 오기 전에 이곳 상황을 정리하는 게 낫겠다는 생각이 들었다. 동시에 그는 골목길을 빠져나가 무적가 무사들의 뒤를 잡았다.

무적가 무사들은 그가 다가오는 기척을 전혀 눈치채지 못했다. 그리고 담우천이 자신했던 그대로, 그의 기습과 암습은 천하제일이었다.

담우천은 아무런 기척도 없이 무적가 무사들의 등 뒤로 접근했다. 굳이 일원검(一元劍) 같은 절정의 검공(劍功)을 펼칠 필요는 없었다. 정확하게 명치를 겨누고 가볍게 푹! 찔러 넣으면, 그것으로 한 사람의 목숨을 빼앗을 수 있었으니까.

담우천은 빠르게 자리를 옮기면서 순간적으로 다섯 명의 목숨을 빼앗았다.

오로지 석정의 손톱만 주시한 채 그와 싸우고 있던 무적가 무사들이 그런 상황을 파악하게 된 건 불과 다섯 명밖에 남지 않았을 때의 일이었다.

'언제 이렇게 줄어들었을까?'

하고 의아해할 시간조차 없었다.

담우천은 여전히 어둠에 몸을 숨긴 채 무적가 무사들의 등을 노렸고, 정면에서는 석정의 푸르뎅뎅한 손톱이 그들을 노리고 바람 소리 흉흉하게 파고들었다.

무적가 고수들은 이를 악문 채 싸웠지만 이미 대세는 확연하게 기울어진 상황, 결국 그들 다섯 명은 담우천의 검에 의해 목숨을 잃었다.

홀로 남게 된 석정은 고개를 갸우뚱거리며 주변을 둘러보았다.

'언제 내가 이 많은 사람들을 죽였지?'

그렇게 석정이 당황해 하고 있을 때, 어둠 속에서 갑자기 한 사람이 튀어나왔다. 석정은 깜짝 놀라 본능적으로 손을 휘둘렀다.

사내는 가볍게 몸을 피하며 말했다.

"나다, 담우천."

석정은 엉거주춤 멈춰 서서 사내의 얼굴을 확인했다. 기억이 났다. 강만리의 형제 중 맏이었던가.

"다, 담 형님?"

"그래, 맞다."

사내, 담우천이 천천히 다가왔다.

석정을 반가워하다가 화들짝 놀라며 뒤로 물러났다.

"위, 위험해요. 가까이…… 오지 마세요."

"응?"

석정은 허둥지둥 품을 뒤지 장갑을 꺼내 착용하다가 이내 울상을 지었다. 제갈보민의 화염신장과 무적가 고수들의 칼과 검으로 인해 그의 사슴 가죽으로 만든 옷이 넝마가 되어 있었기 때문이었다.

담우천이 부드럽게 웃으며 말했다.

"괜찮다, 나는."

담우천은 석정이 뭐라 할 새도 없이 빠르게 다가와 그를 품에 안고는 그대로 지면을 걸어찼다. 이내 두 사람의 신형이 허공 높이 솟구쳤다. 석정은 놀라 소리치려 했다.

"위, 위험……."

담우천이 손을 들어 그의 입을 막으며 말했다.

"과거 벽독공(僻毒功)을 수련한 적이 있으니까 괜찮아."

비선의 사선행자가 되기 위해 수련할 당시, 담우천을

비롯한 수련생들은 사마외도의 고수들을 상대하기 위해 온갖 무공을 익혔으니, 독을 피하고 막을 수 있는 벽독공을 익히는 건 당연한 일이었다.

"화평장으로 가자."

담우천은 이내 지붕과 지붕 위를 뛰어넘으며 조그맣게 말했다. 석정이 고개를 갸웃거렸다.

"화, 화평장?"

들은 것 같기도 생소한 같기도 한 단어였다.

"만리의 새로운 장원이다."

담우천은 힐끗 석정을 돌아보며 말을 덧붙였다.

"석정, 자네의 새로운 보금자리이기도 하지."

"내, 내…… 보금자리……."

석정의 얼굴이 화색이 되었다.

* * *

"이런!"

제갈보령이 탄식했다.

방금 그가 도착한 곳에는 수십 명의 무적가 무사들이 둥근 원을 그린 채 쓰러져 있었다. 그 나자빠져 있는 모양새를 보건대, 누군가를 가운데 두고 포위망을 이룬 채 싸우다가 몰살당한 게 분명했다.

제갈보령은 주위를 둘러보았다. 제갈보민의 모습이 보이지 않는 걸 확인한 제갈보령은 수하들에게 그를 찾아보라 지시를 내렸다.

그러고는 다시 무사들의 시신을 향해 다가가 그들의 사인을 살폈다. 역시 대부분의 무사들은 독살당한 듯했다. 하지만 의외로 독살이 아닌, 검에 의해 죽은 무사들도 적지 않게 발견되었다.

"음?"

제갈보령의 눈빛이 날카로워졌다. 몇몇 무사들의 명문혈에서 깊은 검흔(劍痕)을 찾을 수 있었다. 크게 힘을 주거나 무리하지 않고 가볍게 찔러 넣은 듯한 형태의 상처였다.

"이런 상흔이라면……."

무적가 무사의 등 뒤로 가까이 다가와서 아무도 모르게 검을 찌른 것이다. 즉, 무적가 무사들은 흉수가 지근거리까지 다가옴에도 불구하고 전혀 눈치채지 못했으며, 또한 동료들이 흉수의 검에 의해 살해되고 있다는 사실 또한 전혀 알지 못했다는 것이다.

"고수로군."

그것도 무적가 무사들 정도는 가볍게 해치울 수 있는 실력의 초절정 고수.

중얼거리는 제갈보령의 안색이 급격하게 어두워졌다.

어쩌면 제갈보령 본인조차도 쉽게 승리를 점칠 수 없는 누군가가 독을 사용하는 흉수와 한패라는 생각이 들자, 가슴이 옥죄는 듯한 기분이 들었던 것이다.

'아니, 도대체 이곳 성도부에 이런 괴물들이 득시글거리는 이유가 뭐지?'

그는 속으로 중얼거리며 손을 뻗어 시신을 매만졌다. 아직 온기가 사라지지 않은 걸로 보아 흉수들이 이곳을 떠난 지 채 반각도 지나지 않은 듯했다.

그때였다.

"여깁니다!"

수하 중 한 명이 소리쳤다. 제갈보령은 자리에서 일어나며 뒤를 돌아보았다. 가까운 골목길 안쪽에서 수하 한 명이 손을 흔들었다.

제갈보령은 한 걸음에 골목길까지 날아갔다.

표표히 골목 입구에 내려선 제갈보령의 인상이 저도 모르게 찡그려졌다. 골목길 안쪽, 어둡고 후미진 그곳에 제갈보민이 가슴을 부여잡은 채 쓰러져 있었던 것이다.

"보민!"

제갈보령이 소리치며 황급히 달려가 그를 부축해 안았다. 하지만 제갈보민은 가슴에 치명상을 입고 죽은 지 오래였다. 제갈보령은 이를 악문 채 상처를 확인했다. 역시 다른 무적가 무사들을 해치웠던 그 검흔과 동일한 상처였다.

제갈보령은 제갈보민을 안은 채 자리에서 일어나 주위를 둘러보았다.

　"그렇군."

　그는 고개를 끄덕였다. 이곳에서 무슨 일이 일어났는지 알 것 같았다.

　흉수가 이곳에 숨어 있는 걸 제갈보민이 눈치채고 달려왔을 것이다. 하지만 제갈보민은 외려 흉수의 기습에 목숨을 잃었고, 그를 죽인 흉수는 독을 사용하는 자와 힘을 합쳐 나머지 무적가 사람들을 몰살한 후 자리를 뜬 것이다.

　"아무리 기습이라 하더라도 보민마저 일초에 죽일 정도라면……."

　제갈보령의 가슴이 서늘해졌다.

　제갈보민과 그는 딱히 우열을 가릴 정도로 실력의 차이가 있지 않았다. 몸 상태가 좋은 자가 한 수 우위를 점할 정도의 실력 차에 불과했다.

　즉, 제갈보령 또한 언제든지 그 흉수의 기습에 목숨을 잃을 수 있다는 의미였다.

　뒷덜미가 서늘해지고 피가 차가워졌다.

　'복마전…….'

　제갈보광이 이곳 성도부를 그렇게 표현했던가.

　제갈보령은 사촌 제갈보민을 품에 안은 채 저도 모르게 다시 한번 그 단어를 중얼거리고 있었다.

"복마전……."

3. 재회

담우천은 석정을 부축한 채 쉬지 않고 경공술을 펼쳤다. 지붕을 밟고 뛰어오르고, 굴뚝 위로 내려앉았다. 우아하게 하늘을 나는 박쥐처럼 소리 없이 활공하기도 했으며 바람을 타고 허공 높이 솟구치기도 했다.

성도부 전역에는 무적가 무사들이 천라지망(天羅地網)을 펼치고 있었지만 담우천의 행적은 단 한 번도 그들에게 들키지 않았다.

하기야 마음만 먹는다면 황궁 침소까지 몰래 잠입해 들어가서 황제의 목을 따고 유유히 빠져나올 수 있는 이가 바로 담우천이었으니까.

반 식경가량 지난 후 담우천은 무사히 화평장에 당도할 수 있었다. 그가 담을 훌쩍 뛰어넘자 사방에서 소리가 들려왔다.

"누구냐!"

경비를 서고 있던 순찰당원들의 목소리였다. 담우천은 침착하게 말했다.

"고생들이 많소. 담우천이요."

"아, 담 장주셨군요."

순찰당 무사들은 담우천을 향해 겨눴던 창과 칼을 거둬들이고는 그를 위정전으로 안내했다.

"지금 강 장주를 비롯한 네 분 장주께서 모두 위정전에 모여 계십니다."

"그렇구려."

"한데 그분은⋯⋯."

순찰당 무사들은 아직도 담우천이 옆구리에 끼고 있던 석정을 보며 의아해했다. 담우천은 뒤늦게 그 사실을 깨닫고 석정을 내려놓으며 말했다.

"강 장주의 동생이오."

담우천은 굳이 석정의 이름을 입에 올리지 않았다. 무사들은 변한 석정의 얼굴을 보고 알아볼 정도로 그와 가까운 사이는 아니었다. 그저 횃불 아래로 힐끗 드러난 석정의 흉측한 얼굴을 보고 내심 고개를 갸웃거리며 중얼거릴 따름이었다.

'강 장주 동생 중에 저렇게 생긴 자가 있었던가?'

위정전 문이 열리고 담우천과 석정이 들어서자, 대청에 모여 있던 이들이 모두 자리에서 벌떡 일어났다.

"안 그래도 너무 늦게 오시기에 사람을 보내려던 참이었⋯⋯ 으응? 설마 석정, 석정이더냐?"

강만리가 담우천을 보고 입을 열었다가 이내 곁에 서 있는 석정의 얼굴을 확인하고는 눈이 휘둥그레졌다. 석정은 눈물을 글썽이며 입을 열었다.

"대, 대장……."

사람들이 깜짝 놀랐다.

"석정?"

"석 형님?"

"진짜 석 형이야?"

　대청에 있던 사람들, 장예추나 화군악, 설벽린은 몰라볼 정도로 흉측하게 변한 석정의 얼굴을 보고는 흠칫거렸다. 하지만 강만리는 아무 거리낌 없이 다가가 두 손을 뻗어 석정을 안으려 했다.

"안 되네."

　담우천이 그 앞을 가로막았다. 강만리가 좁쌀 같은 눈을 치켜뜨자, 담우천은 침착하게 말했다.

"그는 지금 독인(毒人)이네."

"독인?"

　강만리는 의아해하며 중얼거렸다.

"독인!"

"세상에, 독인이라니!"

　화군악과 설벽린이 동시에 소리쳤다.

　그 소리를 들은 강만리의 얼굴이 딱딱해졌다. 저들이

놀라는 걸로 미루어 짐작하건대 지금 이 상황이 생각보다 좋지 않다는 걸 알아차린 것이다.

강만리는 차분한 어조로 말했다.

"어찌 된 영문인지 설명해 주실 수 있겠습니까, 담 형님?"

"그러지."

담우천이 고개를 끄덕였다.

"물론 나도 모든 걸 다 아는 건 아니지만."

"그럼 이리로."

강만리가 담우천과 석정을 자리로 안내하려 했지만 석정은 움직이지 않았다.

"왜?"

강만리가 묻자 석정이 더듬거리며 말했다.

"자, 장갑은 있는데 오, 옷이…… 다 찢어졌어요."

아닌 게 아니라 지금 석정은 꽤 험한 일을 당했는지 불에 타고 칼에 찢어져서 넝마 꼴이 되어 있었다. 그 와중에도 석정의 두 손은 사슴 가죽으로 만든 장갑을 착용하고 있었다.

설벽린이 빠른 어조로 말했다.

"원래 독인은 독기를 내뿜기 때문에 자신이 의도하지 않은 살인을 하기 십상입니다. 그래서 일반적으로 녹피(鹿皮)나 특수한 약물로 처리한 옷과 장갑, 신발 등으로 독기를 감추거든요. 아마도 석정은 지금 그걸 말하고 있는 것 같습니다.”

석정이 황급히 고개를 끄덕였다.

“그럼 어떻게 하지? 혹시 녹피로 만든 옷이 있나?”

강만리의 질문에 설벽린은 고개를 저었다.

“그런 걸 일반적으로 가지고 다닐 이유가 없잖습니까? 아, 녹피 장갑이라면 있습니다. 독 암기를 사용할 때 쓰는…….”

“장갑은 석정에게도 있네.”

“아! 혜혜라면 뭔가 방법이 있을지도 모르겠습니다.”

장예추가 눈을 반짝이며 말했다. 사람들도 일제히 고개를 끄덕이며 호응했다.

“하기야 사천당문이라면…….”

“지금 당장 가지고 있지는 않더라도 가장 빠르게 대책을 강구해 줄 수 있을 거야.”

“그럼 내당에 다녀오겠습니다.”

장예추는 서둘러 자리를 떴다. 그가 문을 향해 걸어가자 석정이 황급히 뒤로 물러나며 행여 장예추와 거리가 가까워지는 걸 경계했다.

강만리가 안타까운 눈빛으로 그 광경을 바라보다가 문득 생각났다는 듯이 담우천을 돌아보며 물었다.

“그런데 형님은 어떻게?”

“벽독공을 익혔거든.”

담우천은 석정에게 시선을 돌리며 말을 일었다.

"불편하겠지만 잠시 동안 저곳으로 가 있게."

석정은 연신 고개를 끄덕이며 허둥지둥 움직여서 탁자와 멀리 떨어진 구석 벽면으로 이동했다. 강만리가 길게 한숨을 쉬고 고개를 설레설레 흔들었다.

담우천이 자리에 앉으며 입을 열었다.

"아마도 지난 일 년 동안 석정은……."

그는 곧 자신이 추측했던 지난 일 년 동안의 일들에 대해서 이야기했다.

강만리나 설벽린들은 굳이 석정에게 진위 여부를 확인하지 않았다. 지금 그의 표정만 보고도 충분히 알 수 있었기 때문이었다.

멀리서 잠자코 듣고 있던 석정의 눈이 휘둥그레졌다. 담우천은 마치 자신의 행적을 본 것처럼 사실 그대로 이야기하고 있었던 것이다.

'여, 역시 대장의 형님이시다…….'

담우천은 계속해서 오늘 밤의 상황에 대해서도 설명했다.

무적가의 오백여 최정예 부대가 이곳 성도부를 접수한 것부터 시작하여, 석정과 그가 약 오십여 명의 무사들을 해치우고 동시에 제갈보민이라는 거물까지 살해하고 도망쳤다는 대목까지 소상하게 이야기했다.

설벽린의 눈동자가 크게 움직였다. 그는 담우천의 말이

끝나기가 무섭게 다급한 어조로 물었다.

"두 분이서 오십 명을 해치웠다고요?"

담우천은 차를 한 모금 마시며 고개를 끄덕였다.

"대부분 석정이 죽였다네."

설벽린은 눈을 동그랗게 뜨며 석정을 돌아보았다. 석정은 머쓱한 표정을 지으며 장갑을 낀 손으로 머리를 긁적였다. 그 바람에 종기가 터져 고름이 주르르 흘러내렸다. 설벽린은 토악질을 애써 참으며 고개를 돌렸다.

반면 담우천은 자리에서 일어나서 석정에게 다가가 고름을 닦아 주었다.

"죄, 죄송합니다."

석정의 사과에 담우천이 고개를 저었다.

"아니네. 자네가 사과할 게 어디 있는가?"

"사과는 황계가 해야지!"

강만리가 탁자를 내리치며 소리쳤다. 그는 머리끝까지 화가 치밀어 오른 듯 얼굴까지 시뻘겋게 달아오른 채 계속해서 크게 소리쳤다.

"아무리 석정이 원했다 하더라도 이런 걸 예상했다면 애당초 들어주지 않았어야 해! 아니, 아예 이야기조차 꺼내지 않았어야 해!"

"대, 대장."

"됐다! 너는 말하지 않아도 된다!"

"그게 아니네, 만리."

담우천이 차분한 어조로 말했다.

"자네가 그리 말하는 건 석정의 충정을 외면하는 일이라네. 석정이 어떤 마음으로 독인이 되고자 했는지 조금이라도 그걸 이해할 수 있다면…… 그렇게 말할 수 없는 거라네."

담우천의 말에 강만리는 입술을 깨물었다.

왜 그걸 모르겠는가.

석정이 왜, 자신이 이렇게 흉측한 몰골이 될 줄 알면서도 왜 독인이 되고자 했는지 그걸 어찌 모를 수가 있겠는가.

그래서 더 화가 나고 가슴이 답답한 것이었다. 아까는 수하, 동생이 자신을 위해 저런 식으로 헌신하는데, 강만리 본인은 그에게 아무것도 해 줄 수가 없는 것이다. 그 답답함을, 그 짜증과 분노를 누구에게 토해 낼 수 있겠는가.

그때였다.

우당탕탕 소리와 함께 대여섯 명의 여인들이 위정전 대청 안으로 우르르 뛰어 들어왔다.

"오라버니!"

예예가 제일 먼저 석정을 보고 눈물을 글썽거렸다. 석정이 환하게 웃으며 말했다.

"혀, 형수님."

예예 뒤편으로 뛰어 들어왔던 나찰염요와 정소흔, 당혜혜와 아란들은 석정의 얼굴을 보고는 놀라 입을 가렸다. 입을 막지 않으면 비명이라도 튀어나올 것 같았기 때문이었다.

뒤늦게 장예추가 야래향, 빙혼마고와 함께 대청 안으로 들어섰다. 두 여인을 본 석정이 얼른 허리를 굽혔다.

"쯧쯧."

빙혼마고가 혀를 차며 그에게 다가갔다. 화군악이 깜짝 놀라 그녀를 제지하려고 했다.

"마고!"

빙혼마고가 손을 내저으며 말했다.

"괜찮다. 나도 벽독공까지는 아니더라도 그와 비슷한 무공을 알고 있으니까."

빙혼마고는 겁에 질린 듯, 혹은 부끄러운 듯 움츠려 있는 석정을 부드럽게 껴안으며 다정하게 말했다.

"고생이 많았구나, 석정. 이제 안심해도 된단다."

그녀가 등을 다독이며 위로하자 석정은 갑자기 울먹거리더니 이내 크게 소리 내어 울기 시작했다.

석정의 눈물과 콧물, 고름이 그녀의 옷과 얼굴에 묻었다. 하지만 빙혼마고는 아무 말 없이 연신 그의 등을 다독이고 자신보다 큰 석정의 머리를 쓰다듬었다.

여인들도 눈물을 흘리며 애써 고개를 외면했다. 심지어

설벽린마저 코를 훌쩍거렸다.

강만리는 물끄러미 그 광경을 지켜보다가 당혜혜에게로 시선을 돌렸다.

당혜혜는 냉정한 눈빛으로 석정의 외관을 훑어보고 있었다. 아마도 지금 석정의 독인화(毒人化)가 어느 정도 진행된 것인지, 그의 독기를 막을 수 있는 방법은 있는지 확인하고자 하는 것 같았다.

'누구든 말이다.'

강만리는 속으로 한숨을 쉬며 중얼거렸다.

'내 가족, 형제들에게 위해를 가하지 못하게 할 것이다. 설령 그게 황계, 아니 태극천맹이 되었다 할지라도 말이다. 그로 인해서 무림 공적이 된다 하더라도…… 두 번 다시 이런 일을 겪지 않게 할 것이다.'

그렇게 속으로 맹세하는 강만리의 좁쌀만 한 눈에서 새파란 정광이 흘러나오고 있었다.

6장.
대책 회의

비록 상황에 따라 이리저리 잔머리를 굴리고
본능적으로 이득을 좇으려고 하는 게 자네이기는 하지만,
그래도 의리 하나만큼은 누구보다도 지킬 줄 아는 녀석이라고 생각하니까.

1. 피독주(避毒珠)

어린아이처럼 부끄러움도 모르고 큰 소리로 엉엉 울던 석정은 울다가 지쳤는지, 아니면 빙혼마고의 품이 더할 나위 없이 따뜻했는지, 아니면 이제 보금자리로 돌아와 마음이 평온해졌는지 그대로 잠이 들었다.

빙혼마고는 그가 자신의 품에서 잠든 걸 확인하고는 고개를 돌려 낮은 목소리로 소곤거렸다.

"외당 창고 하나를 비워라. 침상과 의자를 가져다 두고, 물과 음식을 준비해 놓도록 해라."

"어쩌시려고요, 마고?"

화군악이 묻자 빙혼마고는 당연하다는 듯이 대꾸했다.

"뭔가 좋은 방법이 생길 때까지 내가 간호해 줘야 하지 않겠느냐?"

화군악은 입술을 삐쭉거리다가 입을 다물었다.

지금 독기를 뿜어내는 석정의 근처에 다가갈 수 있는 사람은 담우천과 빙혼마고뿐이었다. 그러니 담우천이 아닌 이상 빙혼마고만이 석정의 곁에 머물 수가 있었다.

강만리는 순찰당주 양위를 불러 빙혼마고의 말을 그대로 옮겼다. 양위는 살짝 놀란 눈으로 석정과 빙혼마고를 보고는 이내 고개를 숙였다.

막 밖으로 나가려는 그를 향해 강만리가 행여나 하듯 덧붙여 말했다.

"그 창고 주변으로는 얼씬하지 못하게 하시오."

"그리하겠습니다."

양위가 나간 지 한 식경 정도 흘렀을까. 모든 준비가 끝났다는 보고가 올라왔다. 빙혼마고가 석정을 안은 채 밖으로 나갔다.

사람들이 한숨을 내쉬며 고개를 설레설레 흔들었다.

강만리는 여인네들이 모두 자리에 앉을 때까지 기다렸다가 당혜혜를 향해 물었다.

"뭔가 좋은 방법이 있겠소, 제수씨?"

사람들의 모든 시선이 그녀에게로 쏠렸다. 당혜혜는 침착하게 말했다.

"사실 독인을 만드는 건 그리 어려운 일이 아니에요. 독물과 약물에 번갈아 가며 목욕을 하고, 독을 함유한 음식과 독을 지닌 벌레나 곤충들을 상복(常服)하면서 그 독을 흡수하게 만드는 거죠."

사람들은 아무 말 없이 그녀의 말에 귀를 기울였다.

"독인이 되면 몸 전체에서 독기를 내뿜어요. 심지어 숨결조차 독기운이 내포되어 있죠. 그러니 일반 보통 사람들과는 접촉할 수도 없고, 반경 일 장 가까이 다가갈 수도 없어요. 그게 가장 기본적인 독인인 거죠."

"기본적인 독인이라면 또 다른 독인이라도 있다는 것이오?"

강만리가 물었다.

"물론이죠."

당혜혜가 대답했다.

"하지만 그보다 먼저 알아야 할 게 있어요. 독인은 크게 두 가지 방향으로 진행이 돼요. 하나는 자신의 체내에 쌓인 독에 의해서 이지(理智)를 상실하고 광인이 되는 거죠. 그리고 결국에는 그 독에 함몰되어 죽거나 녹아내리는 것으로 최후를 맞이하게 되죠."

"으음."

사람들의 입에서 침음성이 흘러나왔다. 화군악이 다급하게 두 번째 방향에 대해서 물으려는 순간, 그보다 빨리 당혜혜가 입을 열었다.

"두 번째 진행 방향은 모든 독문, 그러니까 우리 사천 당문이나 묘독문 등이 굳이 독인 실험을 하는 이유라고 할 수 있겠네요. 그 체내의 독을 견디고 이겨 내면 스스로 독을 다스리고 제어할 수 있는 단계에 오를 수 있어요. 그걸 우리는 독선(毒仙)이라고 불러요."

사천당문이 독인에 관한 실험을 한다는 건 사실 대부분의 사람들에게 있어서 금시초문이었다. 하지만 그에 놀라기보다는 석정이 나아질 방도가 있다는 안도감과 기쁨에 다들 길게 한숨을 내쉬었다.

당혜혜의 말은 계속해서 이어졌다.

"독선이 되어 독을 제어하고 다스리게 되면 다시 보다 높은 경지인 독왕 혹은 독중지인을 지향할 수 있게 되죠. 독중지인의 경우에는 굳이 하독할 필요 없이, 마음이 들고 남에 따라 독을 펼치고 거둘 수 있는 무심지독(無心之毒)의 경지에 오르게 된다고 해요. 즉, 독으로 세상 모든 걸 지배할 수 있게 되는 거죠."

"으음. 그러니까 사천당문에서 그 독중지인을 만들고자 했단 말입니까?"

설벽린의 질문에 당혜혜는 별로 꺼려 하지 않고 순순하게 고개를 끄덕였다.

"네. 검을 숭상하는 문파에서 검신(劍神)을 추구하는

것처럼 독을 다루는 문파에서 독중지인을 탄생시키려고
한 건 당연한 일이니까요."

"으음."

설벽린은 머리를 긁적였다. 가만히 듣고만 있던 강만리
가 입을 열었다.

"그럼 지금 석정의 상태는?"

당혜혜의 표정이 살짝 흔들렸지만 이내 그녀는 차분한
어조로 말했다.

"애당초 독인의 단계에서 독선의 단계로 나아가지 못
하고 광인이 되거나 자멸하는 경우가 구 할이 넘어요."

강만리가 살짝 눈살을 찌푸렸다.

"그렇다면 석정은 결국……."

"하지만 석 오라버니는 아직 완벽하게 독인이 되지 못
한 상태라고 할 수 있어요. 무엇보다 석 오라버니의 호흡
에서 독기를 찾을 수가 없었거든요."

"으음, 그건 또 무슨 의미인지 모르겠네."

장예추가 고개를 갸웃거렸다. 당혜혜는 자신의 낭군을
돌아보며 말했다.

"다시 원래 상태로 돌려놓을 수 있다는 뜻이에요."

"진짜?"

"그럴 수 있겠소?"

"그게 가능합니까?"

장예추와 강만리를 비롯한 사람들이 앞다퉈 묻자, 당혜혜는 고개를 끄덕이며 말했다.

　"물론 제 실력으로는 턱없이 부족하지만요. 본가의 독종주(毒宗主)라면 충분히 가능할 것 같아요."

　"아아, 다행이다."

　강만리는 두툼한 손으로 얼굴을 쓸어내리며 중얼거렸다.

　화군악이 잠시 생각하다가 말했다.

　"하지만 그건 다시 말해서 지금 당장 석 형님을 고칠 수는 없다는 뜻이 되는데……."

　"맞아요. 지금 당장에는 어쩔 수가 없어요. 그저 독인화의 진행을 늦추는 게 제가 할 수 있는 최선이에요."

　"그거라도 어디요?"

　장예추가 그녀의 손을 부드럽게 매만지며 말했다.

　"당신 덕에 석 형님의 현재 상태를 확실하게 알게 되었고, 또한 원래의 모습을 되찾을 수 있다는 사실도 알게 되지 않았소? 이번 상황이 마무리되는 대로 석 형님과 함께 사천으로 가서 부탁드려 봅시다."

　당혜혜가 다소곳하게 말했다.

　"네. 그렇게 해요."

　솥뚜껑 같은 손으로 얼굴을 벅벅 문지르던 강만리는 문득 생각났다는 듯이 당혜혜를 보며 입을 열었다.

　"참, 그 벽독인가 피독인가 하는 옷은 만들 수 있겠소?"

"사슴 가죽이 있다면 더 좋겠지만 그게 없어도 만들 수 있어요. 피독에 관한 약품들은 늘 휴대하고 있으니, 그걸 바탕으로 해서 만들면 돼요."

"고맙소, 제수씨."

강만리는 진심으로 고마워하며 연신 고개를 숙였다. 당혜혜가 처음으로 부끄러운 표정을 지었다.

"사슴 가죽은 내가 구해 오지."

화군악의 말에 담우천이 고개를 저었다.

"다들 잊고 있나?"

사람들의 이목이 자신에게로 쏠리자 담우천이 천천히 말을 이었다.

"얼마 전 십삼매가 온다고 해서 굳이 사냥을 나간 적이 있었잖은가? 그때 잡은 사슴이 몇 마리였더라?"

"아, 그러네요."

나찰염요가 손뼉을 치며 말했다.

"그때 따로 말려 둔 가죽들이 있네요. 그걸 사용하면 최소한 열 벌의 옷을 만들고도 남을 거예요. 지금 당장 저와 소화가 만들게요. 바느질은 소화를 따라갈 사람이 없으니까요."

나찰염요가 자리에서 일어나자 야래향과 정소흔이 함께 일어났다. 야래향이 웃으며 말했다.

"우리도 도와주지. 아예 내일 아침까지 열 벌 모두 만들어 두자고."

세 여인은 의기투합하여 씩씩한 얼굴로 대청을 빠져나
갔다.

"아! 우리도 잊고 있었네. 그렇지, 예추?"

뒤늦게 화군악이 손뼉을 치며 장예추를 돌아보았다. 장
예추는 무슨 영문인지 몰라 어리둥절한 표정을 지었다.
화군악이 답답하다는 표정을 지으며 말했다.

"왜, 있잖아? 무너진 월영동부에서 가져온 금은보화
들, 그 안에 피독주도 있지 않겠어?"

그제야 장예추도 크게 고개를 끄덕였다.

"그렇군. 확실하지는 않지만 피독주 같은 걸 본 기억이
있기는 하네."

피독주는 말 그대로 독을 경계하고 독 기운을 피하게
해 주는 보석이었다. 물론 그 종류에 따라 약간씩의 차이
는 있지만, 피독주를 몸에 품고 있으면 어지간한 독에는
중독되지도 않았다.

"그럼 얼른 찾으러 가자고."

화군악과 장예추가 자리에서 일어났다. 당혜혜도 따라
일어나며 말했다.

"저도 같이 가요. 아무래도 그런 쪽에는 제가 조금 더
정확하게 알고 있으니까."

"그럽시다."

세 사람은 환한 표정을 지으며 바람처럼 빠르게 대청을 빠져나갔다.

대청에 남은 사람들의 얼굴도 환해졌다. 이제 한시름 놓았다는 안도감이 그들의 표정을 밝게 만들었다.

'그럼 이제 무적가를 어떻게 처리해야 하는지에 대해서 논의해야 하겠지?'

믿을 수 없게도, 내심 중얼거리는 강만리의 눈가에 희미한 살기가 스며들었다.

2. 개자식들

"개자식들!"

고굉은 천장에 대고 욕설을 퍼부었다.

지금 그는 강만리 측에서 마련해 준 별채 침상에 대자로 드러누운 채 온갖 욕설을 퍼붓고 있었다.

"빌어먹을 놈들! 똥물에 튀겨 죽일 놈들! 세상에, 간이 배 밖으로 튀어나와도 유분수지, 감히 천하의 무적가 가주와 소가주를 죽여? 그러니 저 무적가 놈들이 미친년 널뛰기하듯이 사방팔방을 돌아다니면서 쥐 잡듯 네놈들을 잡으려 드는 게다! 그 바람에 아무런 죄 없는, 애꿎은 우리같이 선량하고 힘 약한 백성들만 피를 보는 것이고! 퉤!"

고굉은 무의식적으로 천장을 향해 침을 뱉었다. 그러고
는 얼른 고개를 돌려 떨어지는 침을 피했다. 끈적끈적한
침 덩어리가 그의 귀를 스치고 떨어졌다.

"빌어먹을!"

다시 제자리에 누울 수 없게 된 고굉이 자리에서 벌떡
일어나며 소리쳤다. 허공에 대고 마구 두 주먹을 휘두르
던 그가 문득 눈빛을 야비하게 빛내며 목소리를 낮췄다.

"이렇게 된 거, 차라리 무적가에 놈들을 파는 건 어떨
까? 대충 돌아가는 낌새를 보니 아직 무적가 사람들은
누가 자신의 가주와 소가주를 죽인 건지 모르고 있는 것
같은데."

좋은 생각이다.

어쩌면 그 공로를 인정받아 무적가 사람들에게 큰 포상
을 받을 수도 있었다. 거기에 강만리 일당들이 모두 죽어
버리면, 그리고 이미 모든 흑도방파들이 대부분 괴멸된
성도부라면, 무적가를 등에 업은 고굉이 한 손에 쥐고 흔
들 수 있게 될 터였다.

탐욕의 군침이 맴돌았다. 그는 저도 모르게 침을 꿀꺽
삼켰다.

"그럼 무슨 핑계를 대고 이곳을 빠져나가지?"

강만리 일당에게 들키지 않고 이곳을 빠져나갈 수 있는
방법이 있을까?

아직 살아 있을지 모르는 수하들의 행방을 찾겠다?

묻어 둔 금은보화를 찾아오겠다?

아니면 숨겨 둔 자식이나 연인, 첩을 데리고 오겠다?

"아냐, 안 돼."

고굉은 고개를 가로저으며 투덜댔다.

"그 개자식들, 아무리 내가 둘러대도 그냥 나만 내보낼 자식들이 아냐. 위험하느니 뭐니 하면서 반드시 내게 누군가를 딸려 보낼 테니까. 그래도 의리 하나는 지킬 줄 아는 개자식들이니까 말이야."

중얼거리던 고굉은 무슨 생각이 들었는지 의기소침한 얼굴이 되어 털썩 침상 모서리에 걸터앉았다.

"그러고 보면 그렇게까지 나쁜 개자식들은 아니거든. 그래도 내가 왔다고 기뻐도 해 주고, 이렇게 좋은 별채도 내주고 말이지. 무엇보다 꼬박꼬박 날 형, 동생 운운하며 불러 주니까."

고굉은 머리를 긁적였다.

그 개자식들의 얼굴을 일일이 떠올리는 순간 마음이 약해져서 더 이상 욕도 할 수 없게 되었다.

"천하의 고굉이 어찌 이리 약해졌누."

그렇게 고굉이 탄식할 때였다. 문밖에서 그의 심복 목소리가 들려왔다.

"주무십니까?"

흑일의 목소리였다.

"아니, 아직 안 잔다. 무슨 일이냐?"

고굉은 헛기침을 하며 물었다. 흑일의 목소리가 공손하게 들려왔다.

"아무래도 무슨 일이 일어났나 봅니다. 장원 무사들이 헛간을 들락날락하면서 뭔가를 치우고 있습니다."

"그래? 설마 이곳이 들통난 건가?"

고굉은 안색이 변하여 자리에서 벌떡 일어났다.

"젠장! 가장 안전한 곳이라고 생각했는데, 알고 보니 지옥문 입구였던 게지 뭐냐? 무적가 놈들이 눈에 불을 켜고 찾는 게 바로 이곳이니까 말이다!"

"그건 아닌 것 같습니다."

"응? 뭐가? 무적가 놈들이 찾는 게 이곳이 아니라고?"

"그게 아니라…… 들통이 난 것 같지는 않다는 겁니다."

"그래? 그럼 다행이고. 그럼 왜 그리 소동을 피우는 건데?"

"아마도 담우천이라는 자가 누군가, 그러니까 강 포두의 동료를 데리고 온 모양입니다."

"강만리의 동료? 그게 누군데? 강만리 따위에게 동료라고 할 만한 사람이 누가 있는데?"

"외당에 있던 흑이의 말을 따르자면 그게 아무래도 석정, 석 포쾌가 아닌가 싶답니다."

"석정?"

고굉은 고개를 갸웃거렸다.

　석정이라면 확실히 강만리의 측근 중 측근이라 할 수 있었다. 강만리가 포두였던 시절 유난히 그를 따르던 포쾌였으니까. 또 그런 까닭에 고굉 같은 흑도방파 사람들은 석정의 얼굴을 모를 리가 없었다.

　"그런데 석정 같다는 건 또 뭐야? 몇 년이나 안 봤다고 그새 얼굴을 잊어?"

　"그게 아니라…… 상당히 흉측한 몰골로 변했다고 합니다. 그래서 흑이가 처음에는 전혀 알아보지 못한 것 같습니다."

　"그래?"

　고굉은 팔짱을 꼈다.

　'무적가 놈들에게 들켜서 된통 얻어맞은 걸까? 퉁퉁 붓고 피멍이 들면 확실히 쉽게 알아볼 수가 없으니까. 그게 아니라면…….'

　고굉은 잠시 생각하다가 입을 열었다.

　"가자."

　흑일은 기다렸다는 듯이 말했다.

　"그럼 위정전으로 모시겠습니다."

　고굉이 별채 밖으로 나오자 경비를 서고 있던 무사들이 정중하게 허리를 숙이며 말했다.

"밖은 위험합니다."

"됐다, 극충."

고굉은 무사의 어깨를 두드리며 말했다.

"언제부터 네가 이 장원의 경비 무사가 되었다고 그렇게 날 손님 취급을 하는 게냐?"

극충이라 불린 무사의 얼굴이 살짝 붉어졌다.

"죄, 죄송합니다, 방주."

"그래. 비록 지금 네가 이곳 화평장에 차출되어 있기는 하지만 어디까지나 그 뿌리는 흑룡방에 있다는 걸 잊지 말도록 하라."

"알겠습니다, 방주."

"좋아, 그럼 나는 위정전에 들렀다 오마."

"조심하십시오, 방주."

고굉은 옛 흑룡방도들, 하지만 강만리의 부탁으로 이제는 화평장의 경비 무사가 된 자들의 배웅을 뒤로한 채 회랑을 따라 위정전으로 향했다.

외당 마당을 두고 위정전 맞은편에는 창고와 헛간들이 나란히 늘어서 있었는데, 그중 한 곳에 환하게 불이 밝혀져 있었다.

고굉의 시선이 자연스레 그곳으로 향했다. 마침 한 명의 중년 여인이 사내를 품에 안은 채 창고 안으로 들어서는 광경이 그의 눈에 띄었다.

'응?'

쉽게 보기 힘든 광경이었다.

'설마 사내를 보쌈하는 건가?'

언뜻 그런 음탕한 의혹이 고굉의 뇌리를 스쳤다.

'흠, 저 중년 여인의 얼굴을 기억해 두자. 나중에 어딘가에 써먹을 날이 올지도 모르니.'

고굉은 그런 생각을 하면서 눈을 가늘게 뜨고 중년 여인을 지켜보았다.

우연이었을까.

사내를 안은 채 막 창고로 들어가려던 여인이 문득 고굉 쪽으로 시선을 돌렸다.

일순 고굉은 하마터면 비명을 내지를 뻔한 걸 억지로 참으며 황급히 고개를 돌렸다. 그의 이마에 식은땀이 배어났다.

'무슨 놈의 계집 눈빛이 저리 독랄할 수 있담?'

독사보다 몇 배는 더 잔악하고 날카로운 눈빛. 시선을 마주치는 것만으로 폐부가 찔리고 심장에 구멍이 나는 듯한 충격을 주는 눈빛이었다.

그는 고개를 설레설레 흔들며 황급히 위정전으로 발길을 옮겼다.

"무슨 일이야?"

대청 탁자에 앉아 있던 강만리가 고굉을 보고는 눈을 찌푸리며 물었다.

"잠이 오지 않아서요."

고굉은 헤헤 웃으며 다가가 빈자리에 앉고는 주위를 둘러보았다. 강만리를 비롯해 담우천, 설벽린, 예예, 아란 등이 자리를 하고 있었다.

"다들 어디 갔습니까?"

고굉의 질문에 강만리는 대충 대답했다.

"각자 할 일을 하고 있겠지."

"무적가에 대한 대책 말씀이십니까?"

"음, 그렇지."

"고민 많으시겠습니다."

"뭐, 많을 수밖에."

"그렇군요."

게서 대화는 끊겼다.

고굉은 예예가 따라 준 차를 마시면서 잠시 머리를 굴렸다.

'아무래도 날 대하는 게 영 시원치 않다. 역시 처음 생각했던 대로 이곳에서 도망쳐 무적가 사람들에게로 가는 게 낫지 않을까?'

고굉이 그런 생각을 하면서 고개를 돌릴 때였다. 마침 차를 새로 데워 온 예예와 눈이 마주쳤다. 예예가 방긋 웃으며 물었다.

"차 더 드릴까요?"

"아, 네. 고맙습니다, 형수님."

예예는 조심스레 차를 따르며 말했다.

"늘 이이에게 도움을 줘서 감사해요."

"별말씀을요. 아우 된 도리로 당연히 해야 할 일을 하고 있을 뿐입니다."

"저는 그저 고 방주만 믿겠어요. 앞으로도 우리 이이 잘 부탁드립니다."

"염려 붙들어 매십쇼! 제가 누구입니까? 흑룡방의 고 꾕이 아닙니까? 어떤 일이 있더라도 형님의 안전을 제가 지켜 드리겠습니다!"

"고마워요."

예예가 정중하게 인사하고는 다시 자리에 앉았다. 고꾕은 그녀가 새로 따라 준 차를 홀짝거리며 생각했다.

'젠장, 형수나 애들을 생각하면 또 배신은 차마 할 일이 아닌 것 같고……. 아, 정말 골치가 아파 죽겠구나.'

고꾕은 인상을 찌푸렸다. 어떤 게 최선인지 도저히 감을 잡을 수가 없는 것이다.

그렇게 고꾕의 마음이 갈대처럼 이리저리 휘청거리는 가운데, 무의미한 시간이 느릿하게 흘러가고 있었다.

3. 의리 하나만큼은

잠시 후 장예추와 당혜혜, 그리고 화군악이 활짝 웃는 낮으로 대청에 들어섰다.

"찾았습…… 어라, 고 형님도 와 계셨네?"

화군악이 고굉을 보며 말을 얼버무렸다. 고굉이 턱을 내밀며 말했다.

"왜? 내가 있으면 안 되기라도 하나?"

"설마요."

화군악이 웃으며 자리에 앉았다. 장예추와 당혜혜도 함께 자리에 앉았다. 강만리가 물었다.

"몇 개나 있더냐?"

화군악이 슬쩍 고굉을 보고는 조심스레 말했다.

"모두 세 알 있었습니다."

장예추가 끼어들었다.

"아직 풀지 않은 짐이 남아 있으니 한두 알 정도는 더 찾을 수 있을 겁니다."

고굉이 궁금해하며 물었다.

"그게 뭔데요?"

장예추와 화군악이 입을 다물고 강만리를 바라보았다. 강만리는 엉덩이를 긁적거리며 말했다.

"피독주."

"피독주요? 설마 한 알로 성 하나를 살 수 있다는 그 피독주요? 그게 세 알이나 있습니까?"

"성을 사기는 어떻게 사나? 다 말이 그런 거지."

"강 형님 말이 맞아요. 대충 거래되는 시세를 보면 한 알에 은자 십만 냥에서 이십만 냥 정도 할 겁니다."

설벽린이 별거 아니라는 투로 말하자, 고굉은 팔짱을 끼며 인상을 썼다.

'아니, 돈 없다고 내게서 애들 월봉까지 챙겨 놓고서 뒤로는 피독주 같은 보물을 숨기고 있었던 거야? 그거 하나 팔면 애들 십 년 치 월봉은 충분히 되겠구먼. 역시 상종 못할 개자식들이라니까.'

아무래도 역시 무적가를 찾아가 사실을 밝히는 게 낫겠다는 생각이 드는 게 당연한 일이었다.

그때 장예추가 일어나 강만리에게 구슬처럼 둥근 보석 세 알을 건넸다. 흑단처럼 새까만 빛을 내는 보석이었다.

일순 고굉의 눈이 뒤집혔다.

'저게 피독주로구나!'

은자 십만 냥에서 이십만 냥에 거래된다는 희대의 보물!

강만리는 그 세 알의 피독주를 이리저리 살피다가 그중한 알을 고굉에게 툭 던졌다. 의외의 상황에 깜짝 놀란 고굉이 허둥지둥 피독주를 받아 챙겼다. 하마터면 그 귀한 보물을 바닥에 떨어뜨릴 뻔했다.

"이, 이게 뭡니까?"

고굉은 두 손으로 받아 든 피독주를 내려다보며 물었다. 강만리는 귀찮다는 듯이 말했다.

"챙겨 둬."

"이걸 지금 제게 준다는 말씀이십니까?"

"그래."

"아이구, 형님!"

고굉은 자리에서 벌떡 일어나 그에게 연신 허리를 굽혔다.

'이거면 흑룡방이 재건할 밑천은 되겠다! 역시 형님이시라니까. 이렇게 날 생각해 주는 형님을 위해서 뭔들 못하겠어?'

고굉이 그렇게 감격할 때였다. 강만리가 심드렁한 표정을 지으며 말했다.

"잠잘 때고, 밥 먹을 때고 언제든 그 피독주를 가지고 있으라고."

"네? 왜죠? 팔아서 흑룡방의 새로운 자금을……."

"팔면 안 되네."

"에?"

"그걸 자네에게 준 건 한 가지 일을 맡기기 위함이거든."

"일이라니요?"

고굉이 어리둥절해하자 설벽린이 이내 석정에 대한 상

황을 설명했다.

고굉의 얼굴이 굳어졌다.

흑이가 봤다는 석정에 대한 이야기와 더불어, 대청에 들어서기 전 보았던 중년 여인과 그녀에게 안긴 사내의 모습이 떠올랐다.

'독인이라니…… 황계에서는 그런 것도 만들 수가 있었나?'

고굉은 침을 삼켰다.

점점 자신의 능력과 힘으로는 도저히 어떻게 해 볼 수 없는, 거대한 수렁으로 빠져드는 기분이었다. 성도부 일개 흑도방파의 주인에게 무적가니, 독인이니 하는 것들은 아무래도 부하가 갈리는 단어일 수밖에 없었다.

"그래서 자네에게 피독주를 맡긴 거야. 만약의 사태가 발발하면 자네가 석정을 보살펴 주게."

강만리의 말에 고굉은 저도 모르게 길게 한숨을 내쉬었다.

"지금 제게 독인…… 아니, 석정 아우의 안위를 맡기겠다는 겁니까?"

"그래."

"왜 저죠?"

"믿으니까."

강만리는 처음으로 고굉을 똑바로 바라보며 말했다.

"비록 상황에 따라 이리저리 잔머리를 굴리고 본능적으로 이득을 좇으려고 하는 게 자네이기는 하지만, 그래도 의리 하나만큼은 누구보다도 지킬 줄 아는 녀석이라고 생각하니까."

"의리 말씀이죠?"

"그래, 의리. 그래서 자네를 믿고 자네에게 석정을 맡기겠다는 것이야. 아, 물론 만약의 사태, 그러니까 절대 일어나면 안 되는 상황이 되었을 때를 가정해서 하는 말일세."

"아, 그거야 물론 그렇겠죠. 형님께서 제게 석정 아우를 맡기게 되는 상황이라는 건 아예 상상조차 하기 싫으니까요."

"그러니 너무 부담 갖지 말게."

고굉은 제 손바닥 위의 조그만 흑구슬을 내려다보고 다시 강만리를 쳐다보았다.

'의리라……'

비록 불퉁한 목소리로 말하기는 했지만, 그래도 이 고굉을 보고 의리 하나는 지킬 줄 아는 사람이라고 하는 것이다.

문득 고굉은 별채의 침상에 앉아서 강만리를 두고 '그래도 의리 하나는 지킬 줄 아는 개자식'이라고 했던 기억이 떠올랐다.

"푸하하하!"

고굉은 저도 모르게 웃음을 터뜨렸다. 강만리가 눈살을 찌푸리며 그를 노려보았다.

"뭐가 우스운 건데?"

"아, 아닙니다. 아무것도. 그냥 갑자기 웃긴 이야기가 떠올라서 말이죠."

고굉은 웃느라 흘린 눈물을 닦아 내며 말했다.

"알겠습니다. 만에 하나 그럴 일은 없겠지만 최악의 상황이 되었을 때, 그때는 제가 누구보다 먼저 석 아우를 챙기겠습니다."

"고맙다."

강만리는 살짝 고개를 끄덕였다.

고굉은 피독주를 조심스레 품에 넣으며 화제를 돌렸다.

"그나저나 아직 무적가에 대한 대책을 세우는 중이십니까?"

"그래."

"저도 껴 주십시오. 어쨌든 놈들에게 패가망신한 건 형님이 아니라 저니까 말입니다."

"허어, 거참."

강만리는 한숨을 내쉬었다. 그때 지금껏 한 마디도 하지 않던 담우천이 천천히 입을 열었다.

"고 방주와 함께 논의하는 것도 나쁘지 않을 것 같군. 어쨌든 강 장주의 의제(義弟) 중 한 명이니까."

고굉이 반색했다.

"옳은 말씀이십니다. 이곳 성도부 사람들이 강만리와 네 명의 형제들이라고 말하지만, 알고 보면 나까지 포함해서 다섯 형제가 아니겠습니까?"

"물론 우리는 고 형님과 잔을 나눈 적이 없지만 말입니다."

화군악이 불퉁대듯 말하자 고굉은 친근하게 너털웃음을 흘리며 말했다.

"허허. 그야 언제든지 나눌 수 있지 않은가? 어쨌든 우리는 강만리라는 이름 아래에 한 형제가 된 사이니까 말일세."

"됐다."

강만리가 손을 흔들었다. 그러고는 담우천을 바라보며 화제를 바꿔 이야기했다.

"그럼 조금 전에 나눴던 이야기를 계속하기로 하죠. 그러니까 형님이 생각하시기에는 이렇게 수비적으로 웅크리고 있는 것보다 우리가 먼저 기습을 가하는 게 낫다 이겁니까?"

"그렇다네."

담우천이 고개를 끄덕이며 말했다.

"우리 다섯 명이 움직이면 오늘 밤이 새기 전, 놈들을 모두 해치울 수 있을 것이야."

'엥?'

일순 고굉의 눈이 휘둥그레졌다.

'놈들을 모두 해치운다니, 설마 무적가 사람들을 두고 하는 말인가?'

뭔가 잘못 들은 게 아닌가 싶었다. 그렇지 않고서야 저렇게 허무맹랑한 말을 태연하고 담담하게 할 리가 없었다.

그때 설벽린이 입을 열었다.

"다섯 명이라고 해 봤자 저는 아무런 소용도 없을 겁니다."

담우천이 말했다.

"애당초 자네는 계산에 넣지 않았네."

그 담담한 말에 설벽린의 표정이 살짝 무너졌다. 자존심에 금이 간 모양이었다.

담우천이 계속해서 말을 이어 나갔다.

"자네는 어디까지나 이곳 수비의 총책임자일세. 그 어떤 일이 있더라도 이곳을 지키고, 또 마지막까지 우리 가족들의 안위를 책임져야 할 보루일세. 그러니 당연히 자네는 이곳에 남아 있어야 하네."

일순 설벽린의 얼굴이 조금 풀렸다.

"아, 그런 뜻이었습니까?"

"그럼 또 무슨 다른 뜻이 있겠나?"

담우천이 의아한 듯 고개를 갸우뚱거렸다. 설벽린은 황급히 손사래를 치며 말했다.

"아, 아닙니다, 아무것도. 그럼 다섯 명이라고 말씀하신 저의는……."

"유 노대겠죠?"

담우천 대신 장예추가 입을 열었다. 담우천은 천천히 고개를 끄덕였다.

"그래. 그러면 능히 한 축을 담당할 수 있을 것일세."

"하지만 그분은 어디까지나 우리의 식객, 우리가 먼저 도움을 요구할 수는 없습니다. 또 쉽게 들어줄 분도 아니고요."

"그건……."

담우천이 대답 대신 강만리를 돌아보자, 그는 어깨를 으쓱거리며 화군악을 바라보았다.

화군악이 멍한 표정으로 손가락을 들어 자신을 가리켰다.

"제가 설득해요? 에이, 말도 안 돼요."

"너 말고."

강만리가 살짝 한숨을 쉬듯 말했다.

"네 사부."

화군악의 눈이 휘둥그레졌다.

"내 사부요?"

"그래. 대부인의 설득이라면 가능할지도 몰라."

"그럴까요?"

"아마도."

강만리는 다시 한번 어깨를 으쓱거리며 말을 이었다.

"안 되면 할 수 없고, 되면 좋은 일이고."

장예추도 거들었다.

"힘들면 소묘아에게도 부탁해 보자고."

"뭐, 내가 힘들 게 어디 있겠어?"

화군악은 머리를 긁적였다. 그러고는 다시 담우천을 돌아보며 물었다.

"그런데 우리 다섯 명으로 저들 무적가 오백을 확실히 괴멸시킬 수 있을까요?"

"우선 현재 남아 있는 무적가 사람들은 사백 오십 명이네. 그것도 최대한으로 잡아서."

담우천은 무적가 사람들의 숫자를 정정한 다음 다시 말을 이었다.

"물론 우리뿐이라면 힘들겠지. 하지만 지금 무적가는 우리들과만 싸우고 있는 게 아니니까."

"네? 그럼 또 누구와 싸우고 있는데요?"

"그건 말일세."

담우천이 천천히 입을 열었다.

7장.
사람 사는 온기

사람 사는 온기.
그 무엇보다 따뜻하고 부드럽고 다정하며 온유한 온기.
나쁘고 더럽고 추악하며 못된 마음을 씻어 내고 지워서
다시 깨끗하고 맑은 마음으로 만들어 주는 온기.

1. 문답무용(問答無用)

방심하는 순간 목숨을 잃는 곳이 강호였다.

흠묘는 자신이 완벽하게 추격을 따돌렸다고 방심했고, 그 방심은 결국 자신은 물론 동료들까지 목숨을 잃게 될 위기를 낳았다.

하지만 흠묘는 당황하거나 미안해하지 않았다. 그녀에게는 루호가 있었으니까. 루호가 있는 한, 결코 패배하지 않을 테니까.

루호는 흠묘의 기대를 저버리지 않았다. 그는 금룡회의 목조 건물을 포위한 자들을 상대로 수비에 치중하지 않았다. 외려 하마옹과 흠묘, 그리고 다른 동료들과 함께 기습을 감행했고, 그 예상 밖의 움직임에 금룡회를 포위한 무적가 무사들은 당황해했다.

루호의 기습은 성공적으로 끝날 뻔했다. 그 기습을 통해서 삼십 명 가까운 무적가 무사들 중 절반가량의 목숨을 빼앗았으니까.

그러나 무적가도 만만치 않았다. 계속해서 지원군이 당도했고, 또한 우두머리를 비롯한 중견 고수들이 등장하면서 더 이상의 기습과 암습은 통하지 않게 되었다.

결국 싸움은 전면전으로 바뀌었다. 금룡회의 건물을 두고 전후좌우, 사방으로 몰려다니면서 패싸움을 벌이기 시작했다.

루호는 전국(全局)을 주시하며 상대의 약한 부분을 골라 집중적인 공격을 퍼부었다.

반면 무적가 무사들은 상대방들의 기습에 당황하여 속절없이 무너지던 초반과는 달리 진열을 가다듬고 맞서 싸웠다. 그들의 움직임은 체계적이었으며 공수의 전환이 수레바퀴처럼 원활하게 이어졌다.

백중세로 이어지던 전투는 시간이 흐르면서 차츰 무적가의 우세로 변했다. 양쪽 모두 계속해서 지원군이 몰려왔으나 그 숫자나 개개인의 무위 모두 무적가 쪽이 훨씬 우세했던 것이다.

또한 금룡회 측 인물은 루호보다 강한 실력을 지닌 원

군이 없었다. 하지만 무적가는 철혼백을 위시하여 두 명의 구백과 제갈보운(諸葛保澐)이라는 고수가 원군으로 등장했다. 제갈보운은 제갈보령, 제갈보민과 같은 항렬의 인물로, 무위 또한 그들과 큰 차이가 없는 절정의 고수였다.

그들과 함께 달려온 백오십 명의 무적가 고수들의 합세로 인해 금룡회 측 인물들은 순식간에 열세에 처했다. 그들 또한 성도부 곳곳에 자리 잡고 있는 금룡회의 동료들을 불렀지만, 그 수가 오십여 명에 불과했다.

'중과부적(衆寡不敵)인가?'

루호는 눈살을 찌푸렸다.

기존의 삼십여 명에 오십이 추가되었으니 팔십 명이 넘어야 할 터. 하지만 한 시진이 넘도록 전투가 이어지면서 대략 스무 명 가까운 사상자가 발생했다. 즉, 지금 무적가 무사들과 싸울 수 있는 전력은 불과 육십 명 정도에 불과했다.

'놈들은……'

놈들 또한 기존의 오십 명에 더해서 백오십 명이 원군으로 왔으나 지금은 오십 명가량의 사상자를 내고 백오십 명 정도가 루호의 동료들을 에워싼 채 공격을 퍼붓고 있었다.

사상자로만 따지자면 배가 넘는 성과를 올렸다고 할 수

있겠으나, 역시 중과부적이었다.

'배가 넘는 적을 상대로 언제까지 버틸 수 있을까. 아무리 생각해도 이렇게 무작정 싸우는 건 무식한 일이다.'

루호는 입술을 깨물었다.

마음에 들지는 않지만, 또한 처음 생각과는 전혀 다르지만 역시 퇴각이 정답일 듯싶었다.

그는 곧 흠묘를 불렀다. 피와 땀으로 범벅이 된 그녀가 나는 듯 달려왔다.

"동료들에게 퇴각을……."

루호가 그렇게 말할 때였다.

"누가 감히 내 아이들을 건드는 것이냐?"

창노한 목소리가 밤하늘 저편에서 들려오나 싶더니, 이내 한 명의 노인이 허공을 날아 전장 한가운데로 떨어졌다. 동시에 노인의 주변으로 십여 명의 중년인들이 그림자처럼 내려앉았다.

조그마한 체구의 볼품없는 외양을 한 노인을 본 순간 루호는 저도 모르게 소리쳤다.

"허 노야!"

그랬다.

지금 금룡회와 무적가 사람들이 한데 뒤엉켜 싸우는 전장의 한복판, 그곳을 반으로 가르면서 떨어져 내린 자는 금룡회의 회주이자, 한때 천하를 휘어잡았던 유령신마교

(幽靈神魔敎)의 봉공(奉公)이었던 허 노야였다.

그는 싸늘한 눈빛으로 정면을 쏘아보며 말했다.

"우두머리가 누구냐?"

갑작스런 허 노야들의 등장에 놀라 뒤로 물러났던 무적가 고수들은 이 뜻밖의 상황에 어떻게 대치해야 할지 당황한 표정들이었다.

그때 한 명의 중년인이 무적가 고수들을 헤치고 앞으로 걸어 나왔다. 그러자 두 명의 노인과 또 다른 중년인 한 명이 뒤질세라 그 뒤를 따라나섰다.

허 노야를 마주하고 우뚝 선 중년인은 낮은 목소리로 말했다.

"무적가의 제갈보운이라고 하오. 노인장의 존성대명이 궁금하오이다."

"존성대명이라고 할 것까지 없다. 이곳 금룡회의 주인인 허 노야라고 한다. 그래, 자네들은 무슨 연유로 내 애꿎은 하인들과 제자들을 해치우려 하는 게지?"

허 노야의 오만한 말투에 제갈보운은 살짝 눈살을 찌푸렸다. 그의 뒤쪽에 서 있던 다른 중년인은 발작하듯 앞으로 나서려 했다.

하지만 다른 두 명의 노인이 그를 제지했다.

"나서지 말게, 철혼백."

철혼백이라 불린 중년인은 입술을 깨물며 다시 뒤로 물

러났다.

"알고 보니 허 노야이셨구려."

제갈보운은 차분한 신색을 유지한 채 입을 열었다.

"허 노야의 제자인지 하인인지는 모르겠지만 그쪽에서 먼저 우리 아이들을 살해했소. 그래서 어찌 된 연유인지 알기 위해 이곳에 사람을 보냈는데, 미처 이야기를 꺼내기도 전에 그쪽에서 먼저 기습을 감행했소. 그러니 이 싸움의 원인은 바로 허 노야의 제자들에게 있는 것이오."

"헛소리."

허 노야는 코웃음을 치며 말했다.

"먼저 우리 제자나 하인이 그쪽 사람을 죽였다는 증거가 있나? 그 증거를 제시하면 내가 승복하고 자결로 그 죄를 갚을 테니까."

제갈보운은 꿀 먹은 벙어리가 되었다.

당연히 증거가 있을 리가 없었다. 그저 수상한 몇몇 인물들이 합세하여 무적가 무사를 죽였다는 정보만 가지고 성도부 전역을 뒤지고 있던 참이었다. 그 와중에 수상쩍은 움직임을 보인 흠묘가 걸려들었고, 그녀의 뒤를 쫓아 예까지 오게 된 것이었다.

"그럴 줄 알았다."

허 노야는 제갈보운이 아무런 말을 하지 못하자 다시 코웃음을 치며 말했다.

"됐다. 정파라는 것들이 하는 게 늘 그렇지. 자신만의 정의감에다가 자신들이 정한 율법에 따라 움직이고 무기를 빼 들지. 상대의 사정이라든가 하는 건 전혀 생각하지 않고 말이다."

"잠깐만."

굳은 얼굴로 듣고 있던 제갈보운이 허 노대의 말을 잘랐다.

"지금 그 말은 본 무적가뿐만 아니라 정파 무림 전체를 모욕하는 것이오."

"모욕? 흥! 웃기지 마라. 겨우 이 정도 말로 모욕 운운하다니. 내가, 우리가 당한 모욕을 생각하면 이건 그야말로 조족지혈에 불과하다."

"응? 우리가 언제 허 노야에게 모욕을 주었다고 그러오?"

"그 어떤 증거도 없으면서 이렇게 떼로 몰려와 핍박하는 그 자체가 우리에 대한 모욕인 것이다! 네놈들의 그 더럽고 알량한 자존심 따위와는 전혀 비교가 되지 않는……."

"닥쳐라!"

철혼백은 더 이상 참지 못하겠다는 듯이 크게 소리치며 앞으로 달려 나갔다. 미처 다른 두 노인이 만류하지 못할 정도의 빠른 속도로 달려 나온 철혼백은 다짜고짜 허 노야를 향해 쌍장을 휘두르며 외쳤다.

"문답무용(問答無用)!"

그의 두 손에서 강맹무비한 열화신장의 화력이 쏟아져 나왔다.

'이런.'

제갈보운은 가볍게 눈살을 찌푸렸다.

그는 허 노야가 결코 평범한 인물이 아님을 직감적으로 깨닫고 있었다. 풍기는 기운이나 말하는 걸로 보건대 전대의 사마외도 고수, 그것도 정사대전 당시의 거물일 가능성도 없지 않았다.

그래서 제갈보운은 빠르게 손을 뻗어 철혼백을 만류하려 했지만 이내 마음을 바꿨다. 과연 허 노야가 얼마나 대단한 실력을 지녔는지 확인하고 싶다는 생각이 든 것이다.

"흥! 좋아!"

허 노야는 코웃음을 쳤다.

"문답무용이라니, 내 마음에 쏙 드는 말이다!"

허 노야는 정면에서 쏟아지는 철혼백의 열화신장을 보고도 눈 하나 깜빡하지 않았다. 일순 열화신장의 뜨거운 열기가 허 노야의 조그만 체구를 뒤덮었다.

'끝났다!'

철혼백이 속으로 쾌재를 불렀다.

"푸하하하! 일장도 막을 능력이 없으면서 무슨…… 헛!"

껄껄 웃으며 소리치던 그의 안색이 급변했다. 열화신장이 휩쓸고 지나간 자리에는 아무것도 없었다. 허 노야의 조그만 체구도 온데간데없었다.

주르륵.

등골을 타고 한 가닥 땀이 흘러내리는 순간이었다.

"조심하시오, 철혼백!"

제갈보운의 다급한 목소리가 철혼백의 등 뒤에서 들려왔다. 철혼백은 반사적으로 몸을 틀며 일장을 휘갈겼다. 하지만 이미 때는 늦었다.

"헉!"

철혼백의 허리가 새우등처럼 굽어졌다. 옆구리에서 파생된 강렬한 통증이 뒤늦게 그의 전신을 휘감았다. 그는 저도 모르게 옆구리를 내려다보았다.

그곳에는 허 노야가 싱글거리며 웃고 있었다. 그의 손은 팔뚝까지 철혼백의 옆구리에 박혀 있었다.

"어떻게……."

철혼백이 입을 열자 허 노야는 고개를 저었다.

"문답무용."

허 노야는 손을 움직여 철혼백의 내장을 움켜쥐고 잡아당겼다. 철혼백은 구불구불한 내장들이 자신의 몸속에서 송두리째 빠져나오는 걸 보면서 절명했다.

철혼백 이규.

한때 담우천과 더불어 비선 사선행수였다가, 새롭게 구백의 일원이 된 그는 미처 자신의 능력을 제대로 펼쳐 보이지도 못한 채 그렇게 허무하게 목숨을 잃고 말았다.

모든 사람들이 경악하여 아무 말도 하지 못했다. 특히 제갈보운과 두 노인의 놀람은 다른 그 누구보다도 컸다.

비록 급하게 선출되었다고는 하지만 어쨌든 이규는 구백 중의 한 명이었다. 또한 구백은 삼신과 더불어 무적가 가신들 중에서 가장 강한 열두 명에 속하는 자들이었다.

즉, 이규는 최소한 무적가 가신들 중에서는 열두 번째로 강한 인물이었다. 그런 이규가 단 한 번의 겨룸 끝에 처절한 죽음을 맞이한 것이니 어찌 놀라지 않을 수가 있겠는가.

물론 이규가 상대의 강함을 인지하지 못한 채 제 능력을 온전히 발휘하지 못한 까닭도 있었다. 또한 상대, 허노야라는 인물의 보법이 생각보다 훨씬 더 신출귀몰했다는 점도 한몫 거들었다.

"유령귀천보(幽靈歸天步)……."

제갈보운이 저도 모르게 중얼거리다가 화들짝 놀라며 소리쳤다.

"그렇구나. 알고 보니 유령신마교의 인물이었구나! 설마 유령신마인 게냐?"

허 노야가 껄껄 웃으며 말했다.

"감히 어찌 교주에 비교할 수 있겠느냐? 나는 그저 교주의 종복 중 한 명에 불과할 따름이다."

제갈보운의 얼굴이 딱딱하게 굳어졌다. 그는 뒤를 돌아보지 않고 외쳤다.

"상대는 유령신마교의 거물이오! 모두 힘을 합쳐 주살(誅殺)하기로 합시다!"

노인들, 두 명의 구백이 미끄러지듯 다가와 제갈보운의 곁에 섰다. 그들의 얼굴에는 긴장감이 역력했다.

허 노야 역시 그림자처럼 서 있던 십여 명의 중년인들을 향해 명령을 내렸다.

"한 놈도 남기지 말고 모두 죽여라."

그림자들이 유령처럼 움직였다. 동시에 구백과 제갈보운이 허 노야를 향해 덮쳐갔다. 루호를 비롯한 금룡회 측 무인들과 무적가 고수들도 다시 한데 뒤엉켜 싸움을 벌였다.

공전절후(空前絕後)의 싸움은 그렇게 시작되었다.

2. 아란

"아마도 금룡회일 겁니다."

담우천의 이야기를 들은 강만리가 말했다.

"지금 이곳 성도부에서 무적가 고수들과 맞설 전력을 지닌 곳은 황계와 금룡회 두 곳입니다. 그중 황계가 지하로 숨어들었으니까."

"남은 건 당연히 금룡회이겠군요."

장예추가 고개를 끄덕이며 말했다.

"하지만 금룡회라고 해 봤자 고리대금업을 하는 흑방에 불과할 뿐인데……."

고굉이 고개를 갸웃거렸다.

사람들은 묘한 눈빛으로 그를 바라보았다. 하기야 이자리에 있는 사람들 중에서 금룡회의 진실된 모습을 모르는 자는 고굉뿐이었다. 심지어 아란조차도 금룡회의 정체를 알고 있었다.

"고리대금업을 하는 금룡회라는 건 일종의 포장에 불과해요. 사실 그들은 저 유령신마교의 잔당들이니까요."

아란의 말에 고갱의 눈이 툭 튀어나왔다.

"아니, 그게 무슨 말이오? 유령신마교라니? 설마 이미 수십 년 전에 괴멸당했다는 유령신마교를 말씀하는 것이오?"

"그래요. 금룡회 회주인 허 노야는 당시 유령신마교의 봉공이었죠. 정사대전 패배 이후 그는 신분을 감추고 이곳 성도부에 은잠, 차후 교의 재건을 위한 자금을 모으고 있는 중이랍니다."

아란은 마치 오랜 시간 동안 금룡회를 곁에서 지켜보았던 것처럼 정확하고 상세하게 설명했다.

강만리가 가만히 그녀를 지켜보다가 불쑥 입을 열었다.

"그것도 흑개방의 정보요?"

"물론이죠."

아란은 어깨를 으쓱거리며 말했다.

"사실 제가 모든 정보를 일일이 확인해 보지 않아서 알수는 없지만, 아마 여러분들의 신상 내력을 비롯한 비밀모두 흑개방의 정보 창고에 있을 거예요."

"흠, 정보 조직이라는 게 생각보다 무서운 곳이구먼."

"그럼요. 황계가 이만한 세력을 키운 원동력이 뭔데요?"

아란의 말에 강만리는 잠시 상념에 빠져들었다.

'하기야 정보라는 게 중요하기는 하지. 이번 일만 하더라도 그렇다. 만약 고굉이 달려와 무적가의 침공에 대해말해 주지 않았더라면 아마 우리들은 아무것도 모른 채있다가 횡액을 당했을 수도 있다.'

또한 담우천이 몰래 무적가 본진에 들어가 염탐하지 않았더라면 저들의 군세가 어느 정도인지, 병력이 어떻게분포되어 있는지, 지금 저들과 싸우고 있는 자가 누구인지 알지 못한 채 마냥 허둥지둥했을 것이다.

이렇게 역습을 생각하고, 기습을 논의하는 건 꿈도 꾸지 못했을 게다.

'하기야 처음 무적가의 이야기를 듣자마자 나는 무작정 이곳을 버리고 도망칠 궁리부터 했으니까.'

강만리는 자책했다.

'앞으로는 뭔가 결정을 내리고 행동하기 이전에 보다 많은 정보를 모아야겠다. 정보가 많으면 많을수록 상대의 움직임과 숨은 의도를 파악할 수 있고, 거기에 맞춘 대응책을 세우기가 훨씬 편하니까.'

강만리는 눈살을 찌푸리며 엉덩이를 긁었다.

갈수록 어려워진다. 그저 범인을 뒤쫓고 범죄를 해결하기만 하던 때와는 비교가 되지 않았다.

한 무리의 우두머리가 되어서 조직을 관리하고, 조직원들의 안위를 챙기고, 나아가 그 무리의 미래까지 책임지는 일은 결코 만만한 일이 아니었다.

가슴이 막히고 숨이 가빠 왔다. 머릿속은 헝클어져 있었고, 쉽게 화가 나고 짜증이 밀려왔다.

강만리는 길게 숨을 내쉬며 마음을 가라앉혔다.

'하나씩 해결하자.'

그건 강만리가 포두 시절부터 익혀 온 사건 해결의 방식이었다. 꼬일 대로 꼬인 사건을 해결하기 위해서는 먼저 가장 눈에 띄는 것부터 하나씩 풀어 나가는 게 제일 좋은 방법이라는 것을, 강만리는 그동안의 경험을 통해서 익히 잘 알고 있었다.

강만리는 아란을 보며 입을 열었다.

"혹시 황계나 흑개방 같은 정보 조직을 우리도 만들 수 있겠소?"

"네에?"

아란의 눈이 휘둥그레졌다.

그녀는 지금 강만리가 무슨 의도로 그런 질문을 했는지 모르겠다는 듯이 가만히 그를 쳐다보았다. 강만리도 그저 눈만 끔뻑거리며 그녀를 마주 보았다.

문득 아란이 피식 웃었다. 그녀는 가볍게 눈을 흘기며 입을 열었다.

"정말 강 오라버니의 생각은 담대하고 원대하기 그지없어서 일개 아녀자의 좁은 소견으로는 쉽게 따라잡기가 힘드네요."

설벽린이 끼어들었다.

"그래서 내가 형님으로 모시고 있는 게 아니겠나?"

"됐어요. 당신은 가만히 앉아 계세요."

아란이 쏘아붙이자 설벽린은 입술을 내밀며 물러났다. 아란은 다시 방긋 웃으며 말했다.

"자금과 인원만 있으면 충분히 가능하죠. 뭐, 물론 황계와 흑개방, 그리고 개방이라는 거대한 선두 세력들이 있으니까 쉽게 성장할 리는 없겠지만…… 그래도 충분히 비집고 들어갈 틈도 많으니까요."

"설마 형님, 우리도 정보 조직으로 탈바꿈하려는 건 아니겠죠?"

화군악이 묻자 강만리는 당연하다는 듯이 말했다.

"그럴 리가 있겠느냐? 단지 앞으로는 정보라는 게 지금보다 훨씬 더 중요하게 될 것 같다는 생각이 들었을 뿐이다. 무엇보다 우리가 싸워야 할 상대에 대해서 세세하게 알고 있으면, 그들의 장점은 물론 비밀과 허점, 단점과 빈틈을 샅샅이 파헤친다면 보다 쉽게 싸워 이길 수 있을 테니 말이다."

"옳은 말씀이세요."

아란이 고개를 끄덕이며 동의했다.

"사실 적을 알고 싸우는 건 그렇지 못한 상태에서 싸우는 것보다 이길 확률이 열 배는 더 될 거예요. 즉, 열 명의 힘으로 백 명의 적을 물리칠 수 있게 만들어 주는 게 정보라는 거죠. 가령 오대가문의 경우에도……."

신이 나서 거기까지 말한 아란은 아차 하며 입을 다물었다. 하마터면 지금껏 감추고 있었던 비장의 패를 아무 대가 없이 고스란히 내보일 뻔했던 것이다.

"오대가문의 경우라면?"

강만리가 가뜩이나 작은 눈을 가늘게 뜨며 물었다. 아란은 애매하게 웃으며 고개를 저었다.

"아니에요, 말이 헛 나왔어요. 어쨌든 새삼 강조하는데 정보는 칼과 암기만큼 중요해요. 아니, 어떤 의미에서는 그것들보다 훨씬 더 강하고 무서운 게 정보예요. 그래서!"

아란은 강만리를 똑바로 쳐다보며 말을 이었다.

"만약 강 오라버니께서 정보 조직을 만들 생각이 있으시다면 소녀 아란이 적극적으로 그 일을 주도하고 싶어요."

강만리는 뚱한 표정으로 그녀를 보면서 말했다.

"아란 소저가 원하는 만큼의 자금이나 인원을 충족시킬 수 없소."

"물론 그렇겠죠. 저도 잘 알아요. 하지만 무엇이든 첫 걸음이 중요한 거죠. 시작이 반이라는 말도 있듯이, 한 번 하겠다고 결정 내리고 추진하는 게 중요한 거라고 생각해요. 맡겨 주세요. 제가 십 년 안에 흑개방 못지않은 정보 조직을 만들어 보일 테니까요."

십 년이라……

강만리는 속으로 생각했다.

'정말이지 길게 생각하는군. 나는 당장 오늘 일만으로도 벅차 머리가 빠개질 지경인데.'

그는 내심 한숨을 쉬고는 고개를 끄덕였다.

"알겠소. 그리해 봅시다."

"정말이요? 고마워요! 정말 고마워요."

아란이 진심으로 기뻐했다.

"안 그래도 요즘 들어 아무것도 하지 않고 밥만 축내는 것 같아서 미안하고 부끄럽고 또 내심 초조했었거든요. 좌불안석이라고나 할까, 조금이라도 여러 오라버니들에게 도움이 되고 싶었어요."

그녀의 말에 좌중의 분위기가 숙연해졌다. 아란은 여전히 기쁜 기색을 감추지 못한 채, 하지만 조금은 가라앉은 목소리로 계속해서 말을 이어 나갔다.

"하지만 전 음식도 할 줄 모르고 바느질도 못해요. 그렇다고 제대로 싸울 줄 아느냐 하면 그것도 아니고요. 그러니 여기저기 기웃거리면서 눈치만 보고 있었는데……."

"허험, 누가 눈치를 준다고 그렇게……."

"아니에요. 저 스스로 그런 거예요. 자격지심인 거죠. 가지지 못한 자의."

문득 아란은 대청 밖, 마당 저편의 창고 건물들로 시선을 돌리며 말했다.

"그래서 저 석정이라는 분의 마음을 잘 알아요. 그분이 왜 독인이 되고자 했는지, 독인이 되면서까지 뭔가 도움을 주고자 했던 그 마음을 충분히 이해할 수 있어요. 저도 그러니까요."

"흐흠."

"정보에 관련된 일은 유일하게 제가 잘할 수 있는 분야예요. 그러니 진심을 다해, 최선을 다해 제대로 키워 보겠어요. 다시 한번 믿고 맡겨 주셔서 감사드려요."

"허험, 그렇게까지 생각하고 있을 줄은 미처 몰랐소."

강만리는 헛기침을 하며 말했다.

"하지만 한 가지는 알아 두기 바라오. 지금 이 자리에 있는, 아니 우리 화평장의 모든 식구들은 아란 소저를 외인이나 손님으로 생각하지 않고 있다는 걸 말이오."

아란이 입술을 삐죽였다.

"하지만 강 오라버니부터 지금 아란 소저, 아란 소저 운운하고 계시잖아요?"

"아, 그건……."

강만리는 할 말이 없어 난감한 표정을 짓다가 괜히 설벽린을 향해 화풀이하듯 소리쳤다.

"그러니까 네가 얼른 아란 소저와 연을 맺으면 내가 굳이 소저 운운하지 않아도 되는 게 아니냐?"

설벽린이 움찔거렸지만 이내 억울하다는 듯이 항변했다.

"아니, 그게 왜 제 잘못이 되는데요?"

화군악이 그의 소매를 잡아당기며 말했다.

"아예 말 나온 김에 끝내는 것도 좋아요. 내가 보기에는 설 형님에게 차고 넘치는 신붓감 같거든요."

장예추도 고개를 끄덕이며 말했다.

"맞습니다. 아란 소저라면 제가 충분히 형수님으로 모실 만합니다."

담우천도 동의했다.

"나도 그리 생각하네."

설벽린의 얼굴이 벌겋게 달아올랐다.

"아니, 왜 자꾸 날 가지고 그러는데?"

아란도 입술을 삐죽였다.

"맞아요. 누가 저런 좀팽이와 혼인한다고. 제 의사부터 먼저 물어보셔야죠."

"좀팽이는 무슨! 나처럼 싹싹하고 다정다감한 사람이 또 어디 있다고?"

설벽린이 벌컥 화를 냈다. 아란도 지지 않고 맞받아쳤다. 사람들은 입가에 미소를 띤 채 그들 두 사람의 말다툼을 지켜보았다.

갑자기 회의가 이상한 방향으로 흐르게 되었지만 그래도 대청 분위기는 조금 전보다 훨씬 더 북적거리고 화기애애해졌다. 왠지 사람 사는 온기마저 고스란히 느낄 수 있는 순간이었다.

3. 유 노대

유 노대는 밤새 깨어 있었다.

화평장을 감도는 분위기가 심상치 않다고 느낀 직후부

터 지금껏 그는 침상에 가부좌를 틀고 앉은 채 명상에 잠겨 있었다.

침소 밖에서 들려오는 사람들의 기척이 다급하고 불안하며 초조하게 느껴졌지만 굳이 그는 밖으로 나가지 않았다. 무슨 일이 있는지 확인하고자 하지도 않았다.

어쨌든 그는 손님이었고, 애당초 강만리와 약조하기를 이곳 장원에서 벌어지는 일에는 절대 신경 쓰지 않겠다고 했기 때문이었다.

사실 그는 정파의, 그것도 명문 거파(巨派)의 일원이었다.

반면 이곳 장원의 식구들은 정파와는 거리가 멀었다. 심지어 공적십이마들 중의 두 명이 함께 생활하고 있었다.

예전이라면, 정사대전 당시는 물론이고 최소한 십 년 전이었다면 결코 이렇게 그들과 한 울타리 안에서 생활하지 않았을 유 노대였다.

그러니 이렇게 밖이 시끄러워도, 떠도는 공기가 불온하고 심상치 않아도 그는 단 한 걸음도 움직이지 않고 침상 위에 앉아 있는 것이다.

하지만 사람의 마음이라는 건 참으로 묘했다. 이곳 장원에서 시간을 보내면서 유 노대는 알게 모르게 차츰 장원 식구들과 동화되어 가고 있었다.

손주 같은 꼬마아이들은 끔찍할 정도로 귀여웠다. 가끔씩 영특한 모습을 보일 때는 마치 친손자라도 된 것처럼 마냥 기쁘고 자랑스러웠다.

담호라는 아이의 재능이 뛰어났고, 담창이라는 녀석의 자질도 훌륭했다. 그 두 아이라면 충분히 유 노대의 모든 진전을 이어받을 수 있을 것이다.

말년에 생각지도 않았던 제자들을 얻을 수도 있겠구나, 하는 생각에 유 노대는 절로 콧노래를 흥얼거리기도 했다.

사실 제자라면, 유 노대를 향해 사부 운운하며 따르는 녀석들이 벌써 다섯 명이 훌쩍 넘었다. 처음에는 화군악과 장예추가 장난삼아 시작하더니 그게 돌림병이라도 되는 양, 이제는 다섯 장주는 물론 그들의 아내, 장원의 호위 무사 할 것 없이 모두 유 노대를 사부라고 호칭하고 있었다.

유 노태사(老太師).

유 대사부(大師父).

장원 사람들은 누구를 막론할 것 없이 유 노대를 보면 그렇게 부르며 공손하게 허리를 숙였다.

유 노대는 그게 처음에는 난감하고 어색해서 어쩔 줄 몰라 했지만 지금은 자연스럽게 그 호칭을 받아들이고 있었다.

변한 건 또 있었다.

세월이 흘러서일까. 아니면 상대가 여전히 아름다운 중년 부인들이어서일까.

　유 노대는 야래향과 빙혼마고와 더불어 차를 마시고 대화를 나누는 걸 즐겼다.

　한때는 자신의 목숨을 걸고 상대의 목숨을 빼앗기 위해 전력을 다해 살수를 펼쳤던 그런 관계였다. 대화는커녕 마주치는 순간 다짜고짜 검을 날리고 장력을 쏟아 내는, 그래서 지금껏 제법 많이 마주쳤음에도 불구하고 제대로 이야기 한번 나눠 본 적이 없는 그런 사이였다.

　그러나 세월이 흐르면서 많은 게 바뀌었다. 무엇보다 야래향과 빙혼마고는 둥글둥글해졌다. 마치 세월의 물길에 조금씩 깎여 나가 둥근 조약돌이 된 것처럼, 그녀들은 언제나 온화하고 부드러우며 차분한 성격으로 바뀌어 있었다.

　물론 유 노대 또한 예전의 곤륜화군(崑崙火君)이 아니었다. 성격이 불같다고 해서 붙여진 그 별호를 버린 지 수십 년, 그러면서 유 노대 또한 야래향들처럼 온화하고 둥글둥글해졌다.

　손바닥도 둘이 마주쳐야 소리가 나는 법이었다. 야래향이나 빙혼마고만 변하면 소리가 날 수 없었다. 유 노대도 변했기에 그들은 대화를 나눌 수 있었고, 함께 마주 앉아 차를 마실 수 있었던 것이다.

유 노대는 명상을 멈추고 잠시 생각에 잠겼다.

정사대전 이후 삼십 년 가까운 세월이 흐르는 동안 지금처럼 행복하고 즐거운 시간이 또 언제 있었는지 생각해 보았다. 이 부드럽고 따듯한 온기를 언제 느꼈는지도 떠올려 보았다.

사람 사는 온기.

그 무엇보다 따듯하고 부드럽고 다정하며 온유한 온기. 나쁘고 더럽고 추악하며 못된 마음을 씻어 내고 지워서 다시 깨끗하고 맑은 마음으로 만들어 주는 온기.

유 노대는 이렇게 마음을 편하게 만들어 주는 온기를 이곳에서 처음 느꼈다. 갓 돌 지난 어린아이로부터 이제 할머니가 되어 가는 중년의 미부인들이 주는 그 아늑함에 푹 빠지게 되었다.

그래서였다.

명상으로 마음을 가라앉히려고 해도 좀처럼 그의 마음은 진정되지 않았다.

밖에서 무슨 일이 일어나고 있는지, 왜 긴박하고 위험한 분위기가 장원 내에 감돌고 있는지 알고 싶었다. 초조하고 불안하여 입의 침이 바싹 말랐다.

행여 그 귀염둥이 꼬마 아이들에게 무슨 일이라도 생길까 걱정이 되어 참을 수가 없었다. 이제 옛 실력이 사라져 공적십이마라는 악명과는 전혀 어울리지 않게 된 야래향과 빙혼마고의 안전도 궁금했다.

결국 유 노대는 누가 부르지도 않았는데도 스스로 문을 열고 밖으로 나갈 생각을 했다.

그때였다.

밖에서 조심스러운 목소리가 들려왔다.

"주무십니까?"

화군악의 목소리였다.

유 노대는 얼른 자리로 돌아가 괜히 헛기침을 하면서 말했다.

"아니, 일어나 있네."

"사부께서 뵙자고 하시는데, 괜찮으세요?"

"흠, 이 한밤중에 볼일이 뭐가 있다고."

유 노대는 짐짓 불퉁스레 말하면서도 얼른 자리에서 일어났다.

"기다리게. 옷을 갈아입고 나갈 터이니."

그는 잠시 그렇게 가만히 서 있다가 문을 열었다. 문밖에서 화군악이 빙긋 웃고 있었다. 유 노대는 제 속마음을 들킨 것 같아 괜히 화를 냈다.

"뭐 하느냐? 얼른 네 사부에게 안내하지 않고."

"네, 네."

화군악이 몸을 돌렸다.

8장.
대승(大勝) 대패(大敗)

마치 보이지 않는 거대한 손이
저 멀리서부터 천천히 자신을 옥죄고 있는 듯했다.
정체를 알 수 없는 공포와 두려움이 스멀스멀 그의 정신을 갉아먹고 있었다.

1. 밤은 나의 것

"그러니까 지금 나더러……."

유 노대의 안색은 딱딱하게 굳어져 있었다.

"같은 정파 형제들이라 할 수 있는 무적가를 상대로 싸움을 벌이라는 겐가?"

귀를 의심할 수밖에 없는 부탁이었다.

곤륜파의 전대 장로에게 무적가 사람들과 맞서 싸워 달라는 부탁이라니, 그게 어디 제정신을 가진 사람이 할 수 있는 부탁이란 말인가.

하지만 지금 그의 앞에 앉아 있는 이들은 결코 미치거나 혹은 농담을 하는 표정을 짓지 않았다. 그들은 지금 진심으로, 열과 성을 다해 유 노대에게 부탁하고 있었다.

"그들을 죽이라는 게 아니에요."

야래향이 침착하게 말했다.

"그저 우리 장원이 의심받지 않도록, 그리고 우리 아이들이 조금 더 자유롭게 활동할 수 있도록 시선을 끌어 달라는 것뿐이에요."

"어디 그게 말처럼 쉬운 일인가?"

유 노대는 한숨을 쉬며 말했다.

"물론 나나 무적가 모두 아무런 피해 없이, 단지 그들의 시선을 따돌릴 수만 있다면 얼마든지 그렇게 하겠네. 하지만 상대는 어디까지나 저 무적가이지 않은가? 그들과 맞부딪쳐서 아무 피해를 입지 않고, 혹은 아무런 피해를 주지 않은 채로 빠져나올 수 있을 것 같은가?"

"사부라면 가능하지 않을까요?"

화군악이 뻔뻔하게 말했다. 유 노대가 인상을 찡그렸다. 화군악은 여전히 태연자약한 얼굴로 말을 이었다.

"실은 담 형님께서 아무런 피해도 주지 않고, 또 아무런 피해도 없이 저들의 본진을 염탐하고 돌아왔거든요."

"자네가 원하는 건 염탐이랑 다르지 않느냐?"

유 노대는 답답하다는 표정을 지었다.

"다짜고짜 저들의 한 무리와 붙어서 싸움을 일으키고, 그들을 성도부 동쪽으로 데리고 가라면서? 그 와중에 단

한 명도 부상을 입히지 않고, 나 역시 아무런 부상 없이 마침내 저들을 따돌리고 이곳으로 돌아온다? 그게 말처럼 쉬울 것 같은가?"

"어렵죠. 확실히 어려운 일이죠."

화군악은 순순히 시인했다.

"또 그렇게 어려운 일이기 때문에 사부께 부탁드리는 게 아니겠습니까? 그게 쉬운 일이라면 이렇게 사부께 간청드리는 대신 저나 예추가 맡았을 겁니다."

"흐음."

"사정 좀 봐주세요. 무적가 사람들과 진심으로 싸워 달라는 건 아닙니다. 그저 그들 중 오십 명의 병력을 한동안 억제시키고자 하는 겁니다. 세 시진, 딱 세 시진만 그들의 발목을 붙잡아 주시면 됩니다."

화군악의 거듭된 간청에 유 노대는 팔짱을 끼고 눈을 감았다.

잠자코 있던 야래향이 화군악에게 물었다.

"그들 오십 명을 억제하는 것만으로, 너희들끼리 남은 무적가 사람들을 상대할 수 있다는 계획이니?"

"네."

화군악은 황급히 고개를 끄덕이며 말했다.

"무적가는 오백의 정예 부대를 이곳 성도부로 보냈어요. 그들은 우리와 십삼매의 행적을 쫓는 와중에 아무 죄도 없는 흑도방파 사람들을 해치우고 여러 문회방파를 괴멸시켰죠. 바로 그런 행동으로 인해 이미 그들의 정의는 땅에 떨어진 겁니다. 그들이 늘 주장하는 정파의 양심이라는 것도 더럽고 추하게 변질된 거죠."

화군악은 열변을 토하면서 힐끗 유 노대를 바라보았다. 유 노대는 여전히 지그시 눈을 감은 채 아무 말도 하지 않았다.

"말만 정도(正道) 운운할 뿐이지, 결국에는 그들 또한 사마외도의 무리들과 하등 다를 바가 없습니다. 그저 힘 없는 자들을 힘으로 억누르고 굴복시키고 짓누르는 게 그들의 행사라면, 굳이 그들이 정사대전을 벌여 사마외도를 축출한 이유가 어디 있다는 겁니까? 결국에는 밥그릇 싸움, 자신들만의 영역 쟁탈전에 불과했던 게 아니겠습니까?"

"그건 아니네."

유 노대가 한숨을 쉬며 입을 열었다. 화군악은 얼른 입을 다물고 그를 돌아보았다. 유 노대는 천천히 눈을 뜨며 말을 이어 나갔다.

"정사대전 당시만 하더라도 확실히 구파일방이나 우리 백도 문파에게는 대의(大義)라는 게 있었지. 사마외도의 극악한 행패와 잔인무도한 살육극으로부터 뭇 강호인들과 일반 백성들을 구하고자 한 건 진심이었네."

화군악은 괜히 불안해져서 야래향을 돌아보았다. 하지만 야래향은 온화한 표정을 유지한 채 아무런 반박도 하지 않고 가만히 그의 말을 듣고 있었다.

"당시 사마외도의 고수들은 확실히 잔악하고 포악했다네. 그들은 마음 내키는 대로 살인을 저지르고 강간이나 윤간을 벌였지. 또한 대법(大法)을 완성시키기 위해서 아흔아홉 명의 동자와 아흔아홉 명의 소녀의 생혈(生血)을 흡수한다거나, 내공을 증진시키기 위해 무림 고수들의 뇌수(腦髓)를 빨아먹거나 채양, 채음술을 펼치기도 했다네. 그런 사마외도의 무리를 척살하고 보다 평화롭고 정의로운 세상을 만들겠다는 게 당시 우리들의 대의였다네."

잠자코 듣던 화군악이 물었다.

"그럼 지금 그런 세상이 되었습니까?"

"그게……."

유 노대가 한숨을 내쉬었다. 화군악이 따지듯 말했다.

"비록 그 악랄한 범죄의 유형이나 회수는 줄어들었을지 모르지만, 어쨌든 여전히 살인을 저지르고 강간하고 윤간을 벌이는 자들은 넘쳐흐릅니다. 문제는 그게……."

화군악의 목소리는 날카롭고 그의 이야기는 신랄했다.

"예전에는 사마외도의 못된 작자들만이 벌이던 악독한 범죄였다면, 지금은 백도 정파라고 불리는 자들 또한 아무런 거리낌 없이 그런 범죄를 저지르고 있다는 거겠죠."

"으음."

유 노대는 괴롭다는 듯이 한숨을 내쉬었다.

"오늘 밤만 해도 그렇거든요."

하지만 화군악은 쉬지 않고 계속해서 말을 이어 나갔다.

"저 무적가에 의해 죽은 일반 백성과 아무 죄 없는 하오문 사람들의 수가 수백 명에 달해요. 그런데도 여전히 그 알량한 동료 의식, 동류(同流) 의식에 사로잡혀서 저들의 만행을 가만두고 보기만 한다면…… 결국 사부도 그들과 같은 한패라는 소리밖에 되지 않아요."

"네 녀석은 진짜…… 나를 곤란하게 만드는구나."

"사부를 곤란하게 만들려는 게 아니에요. 단지 사부가 애써 외면하고 보려 하지 않는 진실을 말하고 있을 뿐이죠."

유 노대는 혀를 찼다.

사실 그가 강호 무림을 떠나 유유자적 심산유곡을 돌아다니는 이유 중 하나가 바로 그것이었다.

변질되고 오염된 정파의 의미. 힘과 세력, 권력과 돈이 모든 가치의 기본이 된 현실. 강한 자는 약한 자를 억누르고 업신여기는 게 당연해진 세상.

태극천맹이라는 거대한 정파의 집단을 완성시켰음에도

불구하고 끝없이 펼쳐지는 내분과 갈등.

그 모든 것들이 추하고 더러워서 결국 제 발로 무림을 떠나 은거한 게 유 노대였다.

'내가 애써 외면하고 일부러 못 본 척, 모르는 척하고 있다는 건가?'

화군악의 말 한 마디 한 마디가 유 노대의 가슴에 비수처럼 와 박혔다.

"사부의 대의라는 게 세월이 흐르고 사람의 욕망에 의해 변질되고 오염되었어요. 그럼 당연히 그 더러운 것들을 닦아 내고 털어 내서 다시 깨끗하게 만들어야 하지 않겠어요? 만약 대의라는 게 있다면, 그리고 그 대의를 지킬 마음이 있다면 바로 그게 사부의 대의를 대하는 진정한 자세가 아닐까요?"

"됐다. 그만해라."

유 노대는 신경질적으로 화군악의 말을 끊었다. 화군악이 고개를 숙이며 사과했다.

"죄송합니다. 제 말 때문에 마음이 상하셨다면…….

"그래, 내가 맡아야 할 상대가 누구라고 했더냐?"

"그러니까 그건…… 어라? 마음이 바뀌신 겁니까?"

"다시 마음을 바꿀까?"

"아, 아뇨."

"그럼 또 마음이 바뀌기 전에 얼른 말해라. 누구를 상대해야 하느냐?"

"그게 그러니까⋯⋯."

화군악은 담우천에게 들었던 구백 중 한 명의 이름을 댔다. 유 노대가 눈을 가늘게 뜨고 고개를 끄덕였다.

"화령백(火鈴伯)이라⋯⋯. 그래, 두어 번 만난 적이 있지. 늘 올곧고 강직한 성품을 지닌 자였는데⋯⋯."

유 노대는 한숨처럼 중얼거리다가 끄응, 하고 자리에서 일어나려 했다.

"어쨌든 그자와 그가 이끄는 오십의 무리를 막으면 되는 게지?"

"아, 잠깐만요."

야래향이 그를 멈춰 세웠다. 유 노대가 의아한 표정을 지으며 그녀를 돌아보았다. 야래향도 천천히 자리에서 일어나며 말했다.

"같이 가요, 유 노대."

"같이? 대부인도 갈 생각이신가?"

"사부?"

유 노대와 화군악 모두 눈이 휘둥그레졌다. 특히 화군악은 걱정된다는 표정을 감추지 않은 채 말했다.

"위험해요, 사부. 예전이라면 몰라도 지금은⋯⋯."

"내가 예전과 달라진 게 뭐가 있을까?"

야래향이 빙긋 웃으며 물었다. 화군악이 더듬거리며 대

답했다.

"그, 그러니까…… 역시 아무래도 공력이 예전만큼……."

"그래. 내가 달라진 건 공력뿐이지. 하지만 경공술과 경신술만큼은 예전 그대로란다."

"아니, 아무리 그러셔도 그게……."

"밤은 누구의 것이지?"

야래향의 갑작스러운 질문에 화군악은 어리둥절한 표정을 지었다. 그때 유 노대가 껄껄 웃으며 대신 대답했다.

"그렇군. 확실히 밤은 야래향의 것이었지. 한밤중에 홀연히 나타났다가 한바탕 소란을 피우고 다시 홀연히 사라지는 그대로 인해 우리 동료들이 얼마나 이를 갈았던지……. 그때 그대의 모습이 아직도 눈에 선하군그래."

야래향이 달콤하게 웃으며 말했다.

"그래요. 비록 세월이 흐르고 나이가 들기는 했지만 그래도 아직 이 밤은 나, 야래향의 것이죠."

화군악은 멍한 표정으로 그녀를 쳐다보았다. 화평장에 온 이후 뒷방 할머니처럼 손자, 손녀들과 함께 어울리기만 하던 그녀였다. 이렇게 후광이 비칠 정도로 기개 넘치는 모습은 실로 오래간만이었다.

화군악은 길게 한숨을 내쉬고는 고개를 끄덕였다.

"그래요."

그는 문득 장난스럽게 웃으면서 말했다.

"지금 이 모습이야말로 내 마누라의 진짜 모습인 거니까요."

"마누라라니?"

유 노대가 의아해하며 물었다.

"그런 게 있어요."

야래향도 웃으며 말했다.

"누구도 알아듣지 못하는, 우리 사부와 제자끼리 하는 암화(暗話)랍니다."

"그런가?"

유 노대가 고개를 갸우뚱거릴 때 그들 사부와 제자는 서로 한쪽 눈을 찡긋거리면서 소리 없이 웃었다.

2. 뱃살

"이야기가 잘되었다니 다행이다."

"하지만 사부가 갑자기 흥취가 돌으셔서 함께 따라나섰지 뭡니까?"

"사부? 대부인께서? 괜찮겠어?"

"괜찮을 겁니다. 어쨌든 밤은 야래향의 것이니까요."

"흠, 정말 오래간만에 듣는 말이군. 밤은 야래향의 것이라……."

"그러니까요. 담 형님. 저도 어렸을 때나 몇 번 들었으니까요."

"너는 아직도 어려."

"강 형님도 참. 한 가정의 가장에게 어리다니요. 내 딸 소군이 들으면 슬퍼할 겁니다."

"허험. 그건 그렇고…… 그럼 이제 우리도 슬슬 출발할까요, 담 형님?"

"그래야겠지."

"출발하기 전에 다시 한번 확실히 이야기해 두겠다."

강만리는 화군악과 장예추를 돌아보며 말했다. 그 어느 때보다 강만리의 얼굴은 진지하고 근엄해 보였다.

"화령군 측 오십 명은 유 노대와 대부인께서 맡아 주실 거고, 금룡회 측에서 철혼백을 비롯하여 이백 명과 싸우는 중이고, 석정이 제갈보민의 오십 명을 해치웠으니 이제 남은 건 제갈보광과 제갈보령 등이 이끄는 이백 명이다. 하지만 그 전부를 상대할 필요는 없지."

"물론이죠."

화군악이 고개를 끄덕이며 대꾸했다.

"그러니까 우두머리들만 해치우면 되는 게 아닙니까? 말이 거창해서 이백 명이니 오백 명이니 하지만, 우두머리 십여 명만 쓰러진다면 오합지졸에 불과할……."

"모르는 소리 하지 말게."

담우천이 낮은 목소리로 말했다. 화군악은 뜨끔한 표정을 지으며 입을 다물었다.

'아, 아무래도 담 형님은 무섭단 말이지.'

화군악이 속으로 투덜거릴 때 담우천은 차분한 어조로 말을 이었다.

"이번에 출정한 무적가 무사들은 강호에서 일류급 이상의 고수 소리를 들을 수 있는 실력자들이네."

"하지만 석정은 그런 실력자들을 무려 오십 명 가까이……."

"그건 운이 좋았기 때문일세."

담우천은 냉정하게 말했다.

"우선 무적가 사람들은 석정이 독공의 고수라는 걸 전혀 모르는 상태에서 그와 마주쳤지. 그 바람에 영문도 모른 채 쓰러진 자들이 대략 이십 명 정도가 되었고, 나머지 서른 명의 경우에는 단단히 대비한 상태로 석정과 마주쳤기 때문에 쉽게 쓰러지지 않았다네."

"흐음."

"그때 내가 암습을 펼쳐 도와주지 않았더라면 아마도 석정은 여태 그들과 접전을 벌이고 있었을 것이네. 어쩌면 석정이 먼저 기력이 딸려 쓰러졌을지도 모르지."

"흐음."

화군악은 뭔가 못마땅하다는 듯이 연신 콧소리를 흘렸

다. 담우천의 눈빛이 살짝 가늘어졌다.

"불만이 있으면 언제든지 말해 보게."

"아니, 그러니까 불만이라고 하기보다는…… 아무리 방심했다느니, 몰랐다느니 하지만 결국 폐관 수련한 지 불과 일 년밖에 되지 않은 석 형님에게 일패도지(一敗塗地)한 게 아닙니까?"

"그럼 자네였다면 석정을 이겼을까?"

"네? 아, 그야 뭐, 물론……."

"나는 자네가 졌을 거라고 생각하네."

"아니, 담 형님. 아무리 독인의 독공이 무섭다고 하더라도 설마 제가 지는 일이……."

"물론 자네가 그 사실을 알고 있었다면 이야기가 달라지겠지. 하지만 석정이 독인이라는 걸 모르는 상황에서 자네가 그와 싸웠다면 분명 자네는 일 초도 견디지 못하고 죽었을 것이야."

화군악은 눈살을 찌푸렸다.

내심 그는 담우천이 말도 안 되는 이야기를 하고 있다고 생각했다.

지금의 화군악은 저 유 노대를 상대로 싸워도 결코 질 생각이 없을 정도로 자신이 흘러넘쳤다. 그런데 겨우 일 년 수련한 석정에게 패하다니, 있을 수 없는 일이었다.

담우천은 화군악이 무슨 생각을 하고 있는지 잘 알고

있다는 듯이 말했다.

"적을 과소평가하는 것만큼 어리석고 위험한 일이 없다네. 또 적에 대한 정보가 적다는 건 그만큼 위험도가 증가한다는 말과 같은 의미라네. 싸울 상대에 대한 정보, 무공이나 내공, 버릇과 습관, 호오(好惡)하는 것들, 등등에 대해서 조사하다가 보면 최대한 쉽고 간단하게 그를 이길 수 있는 방법을 찾을 수 있다네."

"확실히 그건 옳은 말씀이십니다."

장예추가 끼어들었다.

"예전에 제가 천휘수와 싸울 당시 그에게 강시가 있다는 사실을 모르고 덤볐더라면 아마 반각도 되지 않아 목숨을 잃었을 테니까요."

"그런 거지. 상대에게 어떤 비장의 술수가 있는지 알고 있느냐, 그렇지 못하느냐가 승부의 갈림길이 되는 경우가 생각보다 많거든."

"뭐, 알겠습니다."

화군악은 여전히 완벽하게 수긍은 하지 못했다는 얼굴을 한 채 고개를 끄덕였다.

"어쨌든 적에 대한 평가는 냉정하게 한다. 또한 적에 대한 정보는 모으면 모을수록 이익이다. 이 두 가지를 말씀하시는 게 아닙니까? 앞으로 잊지 않고 머릿속에 새겨 두겠습니다."

담우천은 그런 화군악을 향해 뭔가 한 마디 더 하려다가 이내 고개를 살짝 저으며 입을 다물었다.

강만리가 길게 한숨을 쉬며 입을 열었다.

"어쨌든 우리가 목표로 삼을 곳은 제갈보광이 머물고 있다는 객잔이다. 다들 복면으로 얼굴을 가리고, 야행복으로 갈아입은 후 다시 만나자."

"형님은 얼굴을 가리고 변장해도 다들 알아볼 텐데요. 그 배 때문에요."

화군악이 막 자리에서 일어서던 강만리의 배를 가리키며 말했다.

강만리는 다시 한번 길게 한숨을 내쉬었다. 그러고는 가만히 화군악을 노려본 다음 서둘러 대청을 빠져나갔다.

"너무했다. 안 그래도 뱃살 때문에 고민이 많은 형님에게 그런 소리를 하다니."

장예추가 밖으로 나가며 타박하듯 말했다.

3. 상식과 이해

길고 긴 겨울밤도 이제 끝나 가고 있었다. 동쪽 하늘이 희미하게 밝아 오는 것이, 앞으로 반 시진 안에 사방이

환하게 밝아질 듯 보였다.

금룡회 건물을 둘러싸고 벌어졌던 전투도 슬슬 마무리가 되는 중이었다.

한정된 인원수로 끝까지 싸워야 하는 금룡회 측 사람들은, 호각을 통해 계속해서 원군을 부르는 무적가를 당해낼 수가 없었다.

또한 제갈보운과 두 명의 구백을 단숨에 때려눕힐 것처럼 기세등등했던 허 노야는 생각보다 훨씬 강한 그들의 무위에 눌려 좀처럼 승기를 잡지 못했다.

제갈보운도 제갈보운이었지만 두 명의 구백이 펼치는 합격술(合擊術)은 거의 완벽한 경지에 이르러 있었다.

몇 년 전 가주와 소가주가 살해당한 이후 구백은 자존심을 버리고 철저하게 합격술을 연마했다. 더 이상 가주나 소가주를 잃을 수 없다는 절실함은 이미 절정에 이른 구백의 무위를 한 층 더 높여 주는 계기가 되었다.

허 노야는 유령천귀 보법을 발휘하여 연신 제갈보운의 뒤를 잡으려 들거나 혹은 구백의 사각을 파고들려 했지만, 번번이 두 명의 구백에게 발목을 잡혀 실패로 돌아갔다.

그렇게 싸움이 장기전으로 흐르면서 허 노야는 점점 지친 기색이 되었다.

애당초 나이가 들수록 순발력과 근력 등 기초 체력이 떨어지는 건 당연한 일이었다. 그래서 노기인들은 노련한 경험과 막대한 내공을 바탕으로 단숨에 승기를 휘어잡고 승부를 결정짓는 수법을 즐겨 사용할 수밖에 없었다.

그러나 이렇게 장기전이 되면 떨어진 체력으로 인해 점점 더 움직임이 둔화되고 숨이 가빠지며 반응이 느려지게 된다. 그러면 아무리 압도적인 경험과 내공이 있다 하더라도 상대를 이길 수가 없는 것이다.

노기인들을 상대로 차륜전(車輪戰)이 발달한 건 바로 그러한 이유에서였다.

"물러나라!"

허 노야가 노갈(怒喝)을 터뜨리며 일장을 휘둘렀다. 음유한 강기가 그의 장심에서 파도처럼 흘러나갔다. 그 막강하고 장대한 강기는 아무리 구백과 제갈보운이라 할지라도 정면에서 맞부딪칠 수가 없었다.

그들은 허 노야의 말을 따르듯 훌쩍 몸을 날려 삼 장 밖으로 물러났다.

'역시…… 전대 거마다운 공력이구나.'

제갈보운은 다시 자세를 고쳐 잡으며 속으로 중얼거렸다.

확실히 정면에서 힘 대 힘으로 부딪치는 건 무리였다. 이렇게 지구전으로 끌고 가 상대의 체력을 최대한 떨어뜨리는 게 승리를 거머쥘 수 있는 유일한 방법이었다.

"빌어먹을."

허 노야가 투덜거렸다.

"십 년만 젊었어도 네깟 놈들은……."

허 노야는 그렇게 중얼거리며 시선을 돌려 상황을 살폈다.

전황은 갈수록 불리해지고 있었다. 허 노야의 십이귀(十二鬼)가 이리 뛰고 저리 뛰면서 부족한 전력을 메우고 있기는 했지만 워낙 인원수의 차이가 컸다.

게다가 갈수록 실력의 차이도 확연하게 드러났다. 금룡회 측 무사들이 펼치는 기괴한 초식과 생전 처음 보는 공격에 당황하던 무적가 고수들이었으나, 시간이 흐르면서 차츰 눈에 익게 되자 더 이상 곤란해 하지 않았다.

외려 무적가 고수들의 열양지력에 불 타 죽는 금룡회 무사들의 수가 점점 늘어나고 있었다.

'안 되겠구나.'

허 노야는 가볍게 한숨을 쉬며 결정을 내렸다.

'본 교의 전력을 모두 내보일 수 없는 상황에서 저들과 끝까지 싸울 수는 없을 것 같다. 퇴각이다.'

빠르게 결정을 내린 이상 망설일 이유가 없었다.

허 노야는 곧바로 몸을 날려 밤하늘 높이 솟구치며 소리쳤다.

"퇴각이다!"

기다렸다는 듯이 금룡회 무사들이 앞다퉈 도망치기 시작했다.

워낙 갑작스러운 상황에 무적가 고수들은 어리둥절한 표정으로 그들이 도주하는 모습을 지켜보았다. 하지만 곧 그들은 격하게 소리치며 금룡회 무사들의 뒤를 쫓았다.

"도망치지 마라!"

"무인의 긍지를 버리고 도주하다니! 그러고도 네놈들이 무사라 할 수 있느냐?"

무적가 고수들이 그렇게 고함을 내지르며 막 금룡회 무사들을 쫓으려는 순간이었다.

"멈춰라!"

제갈보운이 크게 소리쳤다.

내공을 실은 그의 고함이 쩌렁쩌렁 울려 퍼졌다. 무적가 고수들은 이내 방향을 선회하여 제자리로 돌아왔다. 제갈보운은 무사들을 둘러보며 말했다.

"인원을 확인하고 피해 상황을 보고하라."

그리고는 몸을 돌려 두 명의 구백을 향해 말했다.

"덕분에 유령신마교의 거마를 쫓아낼 수 있었소이다. 어디 다친 곳은 없으시오?"

구백은 정중하게 말했다.

"우리들은 괜찮소이다."

제갈보운이 한숨을 쉬며 말했다.

"그나저나 사마외도의 끈질긴 잡초 같은 생존 능력은 가히 혀를 내두를 수밖에 없을 것 같소이다. 이미 오래전에 괴멸한 줄 알았던 유령신마교가 아직도 잔당들이 남아 그 명맥을 유지하고 있다니 말이오."

구백 중 한 명이 조심스레 입을 열었다.

"신(臣)이 보기에는 지금 우리와 싸웠던 늙은이가 아무래도 유령신마교의 봉공 중 한 명이 아닐까 생각되오이다."

"봉공?"

"그렇소이다. 교주를 보필하여 교리를 지키고 율법을 행사하는 이들이 곧 봉공인데, 그중 허신방(許伸厖)이라는 봉공의 체격이 유난히 작아서 귀마주유(鬼摩侏儒)라는 별호로 불리고는 했다 하오이다."

주유(侏儒)는 곧 난쟁이를 뜻하는 말로, 귀마주유는 귀신이나 악마처럼 잔악한 난쟁이라는 의미였다.

"그렇구려. 귀마주유 허신방이라……."

제갈보운의 눈빛이 가볍게 빛날 때였다.

무적가 무사들 중 몇몇이 다가와 보고했다.

"총 이백 명 중 일흔아홉 명이 목숨을 잃고 마흔 다섯 명이 크게 다쳤습니다."

"이런."

제갈보운은 저도 모르게 눈살을 찌푸렸다.

절반 이상의 피해를 입다니, 생각보다 훨씬 더 큰 손실이었던 것이다. 아무래도 허신방을 따라왔던 그 열두 명에 의해 당한 자들이 많았던 모양이었다.

"반면 저들이 남기고 간 시신의 수는 모두 육십칠 구였습니다. 그리고 살아서 도망친 자들은 아무리 많이 잡아도 스무 명이 채 되지 않았습니다."

'으음…… 이걸 승리라고 해야 하나, 패배라고 해야 하나?'

제갈보운의 눈살이 더욱 찌푸려질 때였다.

"대승(大勝)을 축하드리오."

두 명의 구백이 동시에 손을 모으며 말했다. 제갈보운의 눈이 커졌다.

"대승이라고요?"

"그렇소이다. 유령신마교의 거물인 귀마주유 허신방을 패퇴시킨 데다가 그가 비밀리에 키운 정예 고수 육십칠 명을 해치웠소이다. 겨우 살아서 목숨을 부지하고 도망친 수는 불과 스무 명도 되지 않으니, 이 어찌 대승이 아니라고 할 수 있겠소이까?"

"무엇보다 유령신마교의 잔당이 이곳 성도부에 진을 치고 있었다는 사실을 밝혀낸 것만으로 그 공로가 상당하오이다. 그러니 대주께서는 이 일을 상부에 보고하고 그 공을 치하받을 자격이 충분하오이다."

두 구백의 말에 제갈보운은 저도 모르게 미소를 지었다.

"그렇구려. 두 분 말씀을 들어 보니 확실히 의기소침하고 있을 일이 아닌 것 같소이다. 빠르게 이곳 상황을 정리하고 보광 형에게 이 사실을 알려야 할 것 같소."

"이곳의 정리는 우리에게 맡기시고 대주께서 먼저 가셔도 될 듯싶소이다.

"그럼 부탁하오."

제갈보운은 두 구백에게 현장 정리를 맡긴 후 몇몇의 수하만을 이끌고 제갈보광이 있는 객잔으로 향했다. 빠르게 경신술을 펼치는 그의 발걸음이 유난히 가벼웠다.

*　*　*

대승이 있으면 대패(大敗)도 있는 법이었다.

독인과 신비인에 의해 제갈보민과 오십 명의 무적가 고수들이 목숨을 잃었다.

하지만 제갈보령은 결국 놈들의 흔적을 찾지 못한 채 빈 손으로 다시 제갈보광이 머물고 있는 객잔으로 되돌아와야 했다.

객잔 문을 열고 들어서는 그의 발걸음은 한없이 무거웠으며 어깨는 축 늘어져 있었다.

객잔 대청, 창가 쪽 탁자에 앉아 있던 제갈보광은 가볍게 눈살을 찌푸렸다. 제갈보령의 외양만으로 아무런 성과를 얻지 못했음을 알아차린 것이다.

"죄송합니다."

제갈보광의 탁자로 다가온 제갈보령은 감히 앉지도 못한 채 고개를 숙였다.

"보민은?"

제갈보광이 묻자 제갈보령은 더욱 침중한 표정을 지으며 말했다.

"죽었습니다."

"죽어?"

제갈보광은 너무나 뜻밖의 말에 놀라 소리쳤다.

"죽다니! 누가? 어떻게?"

"독인이었습니다."

제갈보령은 자신이 추격했던 상황과 결과에 대해서 천천히 보고하기 시작했다.

독인과 신비인의 협공으로 제갈보민을 비롯한 오십 명의 고수들이 목숨을 잃었다는 보고에, 제갈보광은 그만 할 말을 잃고 말았다.

"최선을 다해서 그들의 행적을 뒤쫓으려 했지만, 이 아우의 능력이 미천하여 결국 아무것도 발견하지 못하고 되돌아올 수밖에 없었습니다."

제갈보령은 고개를 푹 숙인 채 그렇게 보고를 마쳤다.

제갈보광은 부들부들 떨리는 손으로 찻잔을 들어 마셨다. 얼마나 손이 떨리는지 입술 사이로 찻물이 흘러내렸다. 그렇게 겨우 한 모금의 차로 갈증을 달랜 제갈보광은 힘들게 입을 열었다.

"믿을 수가 없구나."

제갈보광은 고개를 설레설레 흔들며 말했다.

"독인이라니, 왜 갑자기 독인이 나타난 게지?"

"모르겠습니다."

제갈보령은 처참한 표정을 지은 채 말했다.

"독인이 왜 나타났는지, 왜 본가의 무사들을 죽이며 돌아다녔는지, 그리고 그 신비인은 또 누구인지 아무것도 모르겠습니다."

"도대체…… 이 성도부에 웬 괴물들이 그리 많은 게냐? 웬 비밀과 알 수 없는 일들이 이리도 많은 게냐?"

"죄송합니다."

"됐다. 그게 어디 자네 잘못이겠느냐? 자리에 앉아서 목이나 축이도록 하라."

"고맙습니다, 형님."

제갈보령은 겨우 자리에 앉아 차를 마셨다.

두 사람은 더 이상 대화를 나누지 않았다. 머릿속은 복잡하고 헝클어질 대로 헝클어져서 쉽게 정리가 되지 않았다. 무엇부터 먼저 해결하고 또 어떻게 일을 진행해야 할지 좀처럼 감이 잡히지 않았다.

'허어, 이것 참.'

절로 한숨이 새어 나왔다.

이곳에 올 때까지만 하더라도, 아니 흑룡방을 비롯한 흑도방파들을 괴멸시킬 때만 하더라도 쉽게 끝날 거라 생각했던 일이었다.

하지만 시간이 흐르면서 상황이 점점 더 기묘하게 변했다. 쉽게 찾을 줄 알았던 십삼매의 행방은 오리무중이었고, 제갈충인과 제갈충무을 살해한 자들 또한 그 종적을 찾을 수가 없었다.

거기에 갑자기 나타난 괴인들로 인해 무적가 무사들이 한두 명씩 살해당하더니, 이번에는 독인과 신비인들로 인해 제갈보민이 죽고 오십 명이나 되는 고수들이 몰살당했다.

어디 그뿐인가.

쉬지 않고 날아드는 급전에 따르자면 제갈보운과 세 명의 구백, 그리고 이백 명의 고수들이 정체불명의 괴인들과 접전을 치르고 있다고 했다.

도대체 천하의 무적가 이백 명의 고수들, 거기에 제갈보운을 비롯한 세 명의 구백을 상대로 접전을 치를 만한 조직이 왜 이 성도부 밤거리에 존재하느냐는 말이다.

'아무리 못해도 최소한 그 이름이 널리 알려진 중견 문파가 아니라면 결코 그 정도 세력과 무위를 지닐 수가 없다. 그런데 한갓 성도부 밤거리의 흑도방파 따위에게 그만한 힘이 있다니…… 상식적으로 이게 말이 되는 일인가?'

제갈보광은 골치가 지끈거렸다.

말이 안 되고 상식적으로 이해할 수 없는 일들이 연속적으로 벌어지면서 점점 무적가 무인들의 수가 줄어들고 있었다.

마치 보이지 않는 거대한 손이 저 멀리서부터 천천히 자신을 옥죄고 있는 듯했다. 정체를 알 수 없는 공포와 두려움이 스멀스멀 그의 정신을 갉아먹고 있었다.

그래서였을 것이다. 천하의 제갈보광이 복면을 뒤집어쓴 네 명의 괴한들이 객잔 지붕 위로 표표히 날아 내려선 것을 전혀 눈치채지 못한 것은.

9장.
네 명의 복면인

'군악처럼 저 사이로 뛰어들까?'
장예추는 이내 고개를 저었다.
동시에 그는 검을 고쳐 잡으며 내공을 한껏 끌어모았다.
'제갈충렬과 싸울 때 이 방법을 사용해 봤으면 하는 아쉬움이 있었지.'

1. 기습

"조심해요."

화군악이 눈을 흘기며 낮은 목소리로 타박을 주었다.
착지하다가 균형을 잃는 바람에 하마터면 기왓장 하나가
박살 날 뻔했던 것이다.

"미안, 미안."

강만리는 머쓱한 표정을 지었다.

아무래도 요즘 들어 더욱 늘어난 몸무게가 말썽이었
다. 예전처럼 가볍고 경쾌한 경공술을 펼치기 어려워졌
다.

"조용히 하자."

선두의 담우천이 낮은 목소리로 주의를 주었다.

장예추가 주변을 둘러보며 속삭이듯 말했다.

"객잔 주변으로 대략 육십 명 정도가 포진하고 있습니다."

"정확하게 예순셋이다. 객잔 내에 있는 열두 명을 제외하고."

담우천이 말했다.

"객잔 밖 예순세 명에 대해서는 크게 신경 쓰지 않아도 될 것 같지만, 안의 열두 명은 확실히 조심해야 하네. 그 중 두 명은 제갈보광과 제갈보령인 것 같고 나머지 열 명은 제갈보광을 호위하는 최정예 고수들 같네."

담우천은 마치 객잔 안의 상황을 훤히 다 들여다보고 있는 것처럼 말했다.

장예추는 아무 말 없이 고개를 끄덕였다.

'역시 담 형님이시다. 무위만으로 따지자면 아마 당금 천하제일인이라고 불러도 손색이 없을 것이야.'

아니, 천하제일인이라고까지는 할 수 없더라도 동년배 중에서는 결코 그보다 강한 인물이 없을 것이다.

장예추가 그런 생각을 할 때, 화군악이 고개를 갸웃거리며 물었다.

"안 그래도 계속 궁금해하던 건데 말이죠. 그 제갈보광인과 보령인가 하는 작자들이 제갈충렬보다 훨씬 강합니까?"

제갈충렬은 무적가의 차기 가주로 손꼽히던 인재로, 장예추와 화군악이 힘을 합쳐 겨우 해치울 수 있었던 강자였다. 담우천의 말을 빌자면 늙고 병든 호랑이였던 제갈보국보다 훨씬 더 강한 실력을 지녔다고 했다.

　만약 제갈보광과 제갈보령들이 제갈충렬보다 훨씬 더 강한 고수라면 확실히 이번 기습은 그 성사 여부를 장담할 수 없을 것이다.

　"그건 아니네."

　담우천이 고개를 저었다.

　"제갈충렬은 무적가에서도 손꼽히던 고수였지. 반면 제갈보광과 제갈충렬은 비록 그보다 항렬은 높지만 무위는 그만 못하다네."

　"그럼 뭐 그렇게까지 긴장하지 않아도 되겠군요."

　"내가 몇 번이나 말해야 하겠나? 절대로 적을 과소평가하지 말라고 말일세."

　화군악은 어깨를 으쓱거리며 말했다.

　"네, 명심하겠습니다."

　"제발 좀 그랬으면 좋겠군."

　담우천이 낮은 목소리로 중얼거리며 천천히 기왓장을 걷어 냈다.

　객잔의 이 층 대청 전경이 시야에 들어왔다.

　담우천은 소리 없이 지붕 아래로 내려갔다. 그리고 다

시 나무로 만든 대청 마룻바닥 중 일부분을 떼어 냈다. 한 시진 전, 그가 아무도 모르게 일 층 천장으로 잠입했던 바로 그 방식이었다.

담우천의 뒤를 따라 장예추가 이 층으로 내려갔다. 강만리가 그 뒤를 따르려 하다가 이내 난색을 취했다. 뚫린 구멍이 작아서 그의 거대한 채구로는 도저히 빠져나갈 수가 없었던 것이다.

"형님은 그냥 여기 계세요."

화군악이 다시 타박하자 강만리가 그를 노려보았다. 화군악은 손을 내저으며 말했다.

"타박이 아니라 그게 더 나을 것 같기 때문에 하는 말이라고요. 굳이 네 명 모두 저 좁은 천장으로 숨어들 필요가 없어요. 형님은 이곳에서 적들의 움직임을 관찰하고 행여 우리에게 도움이 필요하게 되었을 때, 바로 일 층 창을 통해서 뛰어드는 거예요. 그게 외려 저들을 더욱 혼란시키는 방법이 될 수 있어요."

아닌 게 아니라 화군악의 말도 그럴듯했다.

잠시 생각하던 강만리는 고개를 끄덕이며 말했다.

"좋아. 내가 후방을 맡지."

화군악이 웃었다.

"잘 생각하셨어요."

'형님 때문에 천장이 무너져 내릴지도 모른다는 걱정은

하지 않아도 되겠다.'

화군악은 그런 속마음을 숨긴 채 빠르게 구멍을 통해 이 층으로 내려간 후 다시 일 층 천장으로 기어 들어갔다.

미리 천장에 자리를 잡고, 조그만 구멍을 통해 일 층 대청 전경을 살펴보던 담우천이 뒤도 돌아보지 않은 채 소곤거렸다.

"강 장주는 거기 있겠다던가?"

'귀신이라니까.'

화군악은 고개를 끄덕였다.

"네. 후방을 맡겠다네요."

"잘 했다."

담우천은 그렇게 속삭이면서 아래층 창가 탁자에 앉아 있는 제갈보광과 제갈보령의 모습을 확인했다.

제갈보광과 제갈보령은 자신들의 머리 위에서 그런 소동이 일어나고 있는지도 모른 채 여전히 심각한 표정을 짓고 있었다.

평소의 제갈보광이라면 최소한 지붕 위로 착지하던 강만리가 기우뚱거리며 낸 희미한 기척을 감지했을 것이다. 하지만 지금 그의 정신은 주변 상황에 대한 감지를 할 수 없을 정도로 혼란한 상황이었다.

"아무래도 내가 잘못 생각한 모양이다."

제갈보광은 고개를 설레설레 흔들며 입을 열었다.

"이렇게 병력을 나누는 게 아니었다. 물론 오백의 무리가 한꺼번에 움직이면서 십삼매의 행방을 쫓는 건 비효율적인 일이겠지. 하지만 괜히 병력을 분산시켰다가 이런 식으로 각개 격파를 당할 바에는……."

"그게 어찌 형님 잘못이겠습니까?"

제갈보령이 위로하듯 말했다.

"세상의 그 누구도 천하의 본가 병력이 이렇게 각개 격파를 당할 거라고 예측하지 못할 것입니다. 이건…… 그러니까 말 그대로 있을 수 없는 일이 벌어지고 있는 겁니다."

"있을 수 없는 일이라."

제갈보광이 천천히 말했다.

"그렇게 따지자면 본가의 가주와 소가주가 동시에 횡액을 당한 것 역시 있을 수 없는 일이다. 또한 충인과 충무가 실종된 것 역시 있을 수 없는 일이지. 이상하지 않느냐? 왜 우리 무적가에만 이런 있을 수 없는 일이 발생하고 있는 걸까?"

"그건……."

"어쩌면 우리는 우리를 과대평가하고, 적을 과소평가하고 있는 것인지도 모른다. 그러니 매번 그렇게 당하면서도 있을 수 없는 일이 벌어졌다며 당황해하고 있는 게다. 이제는 놈들이 우리보다 몇 배는 더 강하고 영악하며 영활하다는 걸 인정해야 할지도 모른다."

"하지만 그건……."

"즉 무적가는 더 이상 무적이 아닌 게다."

제갈보광의 혼란스럽기만 했던 눈빛이 점점 원래의 차갑고 냉정한 그것으로 돌아오고 있었다.

"우리가 약자(弱者)라는 것부터 인정을 해야 한다. 그래야 더 이상 있을 수 없는 일 따위는 발생하지 않을 테니까."

제갈보령은 입술을 깨물었다. 반박하고 싶었지만 그럴 수가 없었다. 자긍심과 자존심을 내려놓고 최대한 냉정하게 판단하면 제갈보광의 말이 틀리지 않았음을 깨달을 수 있었다.

"우선 모든 병력을 한데 모은다. 그리고 공격이 아닌 방어의 포진을 취하기로 한다. 적들의 정체를 알게 될 때까지, 우리는 더 이상 공격이 아닌 수비에 전념할 것이다."

냉정함을 되찾은 제갈보광은 빠르게 생각을 정리한 후 하나씩 지시를 내렸다.

대청 곳곳에 서 있던 무사들이 곧바로 그 지시에 따라 움직였다. 몇몇 무사들이 곧장 객잔 밖으로 나가 어두운 밤하늘에 대고 호각을 불었다.

호각 소리는 다시 다른 무사들의 호각 소리로 이어지며 성도부 전역으로 퍼져 나갔다. 그 호각 소리를 들은 무적가 무사들은 하던 일을 모두 멈추고 곧장 이곳 객잔으로 귀환할 것이다.

'지금이다!'

천장에 숨어 그 광경을 몰래 훔쳐보고 있던 담우천의 눈빛이 예리하게 빛났다.

열 명의 정예 고수들 중 세 명이 자리를 떠난 지금이야말로 제갈보광과 제갈보령을 치기에 가장 좋은 순간이었다.

담우천은 검을 빼 들었다. 동시에 크게 검을 내리쳐서 천장을 반으로 그었다.

우르르!

반으로 갈린 천장에서 흙먼지가 떨어지며 동시에 담우천이 그대로 몸을 날렸다.

기회는 한 번!

담우천은 내력을 집중하며 검을 뻗었다.

최대한 끌어모은 내력이 검 끝에 모여 한껏 응축되고 압축되었다가 일순간에 폭발하며 주변 모든 것을 박살 내는 일원검!

미리 알고서도 도저히 피할 수 없는 일원검이 허공에서

일직선을 그으며 제갈보광의 정수리에 내리꽂혔다.

말 그대로 일촉즉발의 순간이었다.

2. 좋은 작전

우연일까, 필연일까.

수하들에게 지시를 내린 제갈보광은 고개를 숙인 채 상념에 젖어 있었다.

반면 제갈보령은 답답한 마음을 가누지 못한 채 고개를 들어 천장을 바라보며 한숨을 내쉬었다.

바로 그 순간이었다.

갑자기 천장이 반으로 갈라지더니 한 명의 복면인이 그대로 낙하, 제갈보광의 정수리를 향해 검을 찔러 가는 것이었다.

상념에 젖어 있던 제갈보광은 뒤늦게 그 기척을 알아차렸다. 몸을 돌려 피하거나 막기에는 복면인의 기습이 너무나도 빠르고 날카로웠다.

그때 제갈보령이 복면인을 보자마자 반사적으로, 본능적으로 몸을 날려 제갈보광을 떠밀었다. 복면인의 검은 제갈보광 대신 그 자리로 몸을 날린 제갈보령의 등에 깊숙하게 파고들었다.

펑!

제갈보령의 몸속에서 천 근 화약이 폭발하는 듯한 굉음이 터지는 소리가 들려왔다. 그의 오장육부는 산산조각이 났고 입과 귀, 눈과 코, 항문을 통해 시뻘건 핏물이 분출되었다.

즉사(卽死).

비명도 신음도 반항도 없었다. 제갈보령은 그렇게 목숨을 잃었다.

"보령!"

제갈보령에게 떠밀린 제갈보광은 탁자 밖으로 데구루루 굴렀다가 벌떡 일어서며 소리쳤다.

객잔 대청 곳곳에 서 있던 정예 고수들이 뒤늦게 제갈보광의 주변으로 모여들었고, 또 몇몇 고수들은 복면인, 담우천을 향해 공격을 퍼부었다. 그들의 칼은 벼락처럼 빨랐고 호랑이의 송곳니처럼 맹렬하고 흉포했다.

하지만 담우천이 더 빨랐다. 호위 무사들의 공격이 닿기도 전에 이미 그는 그 자리를 벗어나 제갈보광에게로 덤벼들었다. 황급히 호위 무사들이 제갈보광의 앞을 막아서며 담우천을 막으려 했다.

담우천의 검이 일직선으로 찔러 갔다. 점과 점 사이를 최단 거리로 잇는 직선의 움직임, 바로 무극섬사(無極閃射)의 쾌검이었다.

순간적으로 허공에 세 개의 일직선이 만들어졌다. 믿을 수 없게도 담우천은 지금 무극섬사의 초식을 연달아 세 번이나 펼치고 있었던 것이다.

세 개의 일직선 끝에 서 있던 세 명의 호위 무사가 앞으로 꼬꾸라졌다. 제갈보광이 고르고 고른 고수들이었지만, 결코 그들은 담우천의 일격을 막아 낼 수가 없었다.

"무극섬사! 설마 사선행자였더냐?"

제갈보광이 깜짝 놀라며 황급히 몸을 피했다. 담우천을 공격하던 호위 무사들이 방향을 바꿔 얼른 제갈보광의 앞을 가로막으려 했다.

하지만 그들의 의도는 실패로 돌아갔다. 갈라진 천장에서 새롭게 나타난 두 명의 복면인이 다짜고짜 그들을 향해 칼을 휘두르고 검을 날린 것이다.

제갈보광은 새로 등장한 두 명의 복면인을 보자마자 곧장 몸을 날려 창을 뚫고 객잔 밖으로 도망쳤다.

호각으로 퇴각 신호를 보낸 후 다시 객잔으로 들어오려던 호위 무사 세 명이 그 광경을 보고는 황급히 무기를 빼 들고 제갈보광의 앞을 가로막았다. 동시에 크게 소리치며 주변을 경계하고 있던 무사들을 불렀다.

"적이다!"

"적이 나타났다!"

객잔 주변에 포진하고 있던 무사들이 우르르 몰려들었

다. 그들은 머리가 헝클어지고 온몸이 먼지로 뒤덮여 있는 제갈보광을 보고는 어리둥절한 표정을 지었다.

하지만 곧 객잔 문이 열리며 세 명의 복면인이 천천히 걸어 나오는 광경에 황급히 무기를 고쳐 쥐었다.

* * *

"아쉽게 됐군."

"형님 탓입니다. 기습을 할 때 미리 말씀해 주셨다면 우리도 함께 호응했을 게 아닙니까?"

"어쩔 수 없지. 이렇게 된 이상, 다른 원군들이 몰려오기 전에 모조리 죽일 수밖에."

"그게 가능합니까?"

"가능하지 않을 건 또 뭐가 있겠어? 예추, 너는 우측을 맡아. 나는 좌측을 맡을 테니까. 나머지는 담 형님이 알아서 처리하겠지."

"좋은 작전이군."

"이게 좋은 작전이라고요? 어딜 봐서 이게…… 이런."

장예추는 말을 하다가 말고 한숨을 내쉬었다.

그가 말을 소곤거리는 도중 화군악이 벼락처럼 앞으로 튀어 나간 것이다.

동시에 담우천도 움직였다. 이제 절정에 이르러서 공

간과 공간 사이를, 시야의 사각과 허점을 마음대로 파고 드는 둔형장신보(遁形藏身步)가 펼쳐지는가 싶더니 이내 그의 모습은 그 자리에서 사라지고 보이지 않았다.

"막아라!"

제갈보광이 소리치며 뒤로 훌쩍 물러났다. 호위 무사들과 무사들이 그 앞을 가로막았다.

바로 그때, 신기루처럼 사라졌던 담우천의 신형이 바로 제갈보광의 코앞에서 모습을 드러냈다.

"헉!"

제갈보광은 화들짝 놀라며 본능적으로 바닥을 뒹굴었다. 무림 고수라면 굴욕적인 신법이라 해서 결코 펼치려 하지 않는 나려타곤(懶驢打滾)의 수법.

하지만 게으른 당나귀가 땅을 구르는 듯한 그 신법이 제갈보광의 목숨을 구했다. 담우천의 검이 아슬아슬하게 그의 머리 위를 스치고 지나간 것이다.

"어딜!"

뒤늦게 무사들이 담우천을 발견하고는 칼과 검을 휘둘렀다. 지풍을 날리고 장력을 발출했다.

'흠.'

담우천은 속으로 혀를 찼다.

제갈보광은 이미 무사들 사이로 몸을 숨긴 상황. 게다가 마냥 무시할 수만은 없는 위력을 지닌 공격들이 담우천의 등을 노리고 쏟아져 왔던 것이다.

담우천은 빠르게 몸을 돌렸다. 그의 검이 회오리처럼 회전하는가 싶더니 이내 십여 개의 검기를 동시에 생성하며 사방으로 뿌렸다.

챙! 챙! 챙!

검기와 칼이 부딪치는 소리가 요란하게 울려 퍼졌다. 동시에 칼이 박살 나고, 반으로 부러졌다. 담우천의 검기에 실린 공력을 막아 내지 못한 것이다.

곳곳에서 신음이 흘러나왔다. 검기에 격중당한 이들도 있었고, 들고 있던 무기가 검기에 박살 나면서 그 충격으로 내상을 입은 자도 있었다.

하지만 그들은 멈추거나 도망치거나 피하지 않았다. 억지로 선혈을 삼키면서 여전히 담우천을 향해 덤벼들었다.

담우천의 눈빛이 살짝 흔들렸다.

자칫 장기전으로 가게 될 상황이었다. 물론 장기전은 불리했다. 이백이 넘는 머릿수도 머릿수지만, 무엇보다 구백과 같은 절정의 고수들을 떼로 상대해야 한다는 것이 문제였다.

'어쨌든.'

담우천은 다시 검을 고쳐 쥐며 중얼거렸다.

'한 명이라도 더 죽이고 보자.'

그의 검이 다시 회오리를 일으켰다.

"죽어라!"

단숨에 무적가 무사들 머리 위로 날아든 화군악은 거침없이 검을 휘두르고 주먹을 휘둘렀다.

무적가 무사들은 무기를 들어 그의 공격을 막으려 했다.

하지만 생각보다 화군악의 공세가 거칠고 강렬하여 쉽게 저지할 수가 없었고, 결국 뒤로 주춤주춤 물러서야만 했다. 무적가 좌측 포진의 한 모서리가 무너지는 순간이었다.

신이 난 화군악은 더욱 거세게 무적가 무사들을 휘몰아쳤다. 그의 주먹은 북해빙공의 내력을 실은 채 차가운 한기를 발출했고, 그의 검은 태극혜검의 편린(片鱗)이 엿보이는 검로를 따라 자유자재로 움직였다.

그 기이하고 괴랄하며 신묘하기 그지없는 공격에 무적가 무사들은 손발이 어지러워져서 쉽게 대응을 하지 못하고 연신 뒤로 물러나야만 했다.

"가장 좋은 작전이라 이거지?"

장예추는 중얼거리며 앞으로 걸어 나갔다. 그의 목표는 포진의 우측을 담당하고 있는 무적가 무사들이었다.

장예추는 길게 호흡을 가다듬으며 검을 치켜들었다. 요

즘 들어 훨씬 더 깊고 넓어진 제왕검해의 심득이 그의 검 끝에서 미미하게 발현되고 있었다.

"놈을 막아라!"

장예추가 다가서자 우측 포진의 무사들이 고함을 내지르며 덤벼들었다.

장예추는 침착했다.

서두르지 않고 한 수 한 수 응수했다. 제일 먼저 덤벼드는 자를 향해 검을 찔러 갔고, 다시 검의 방향을 틀어 두 번째 무사의 가슴을 찔렀다.

장예추의 검은 물이 흐르듯 부드러우면서도 불굴의 힘을 실은 채 천의무봉(天衣無縫)으로 움직였다. 그의 검이 들고 나갈 때마다 무적가 무사들의 몸에는 상처가 생기고 피가 솟구쳤다.

비록 담우천처럼 강렬하지는 않지만 화군악처럼 기기묘묘하지는 않지만, 장예추는 가장 적은 힘으로 적재적소의 빈틈을 노리고 검을 찔러 가는 묘용을 발휘할 줄 알았다.

그의 검에 맞서 싸우던 무적가 무사들이 천천히 밀리기 시작했다.

'사선행자라니!'

순식간에 십여 장을 후퇴하여 겨우 한숨 돌린 제갈보광

의 눈이 부릅떠졌다.

이제야 알 것 같았다, 제갈보민을 죽인 신비인의 정체를. 더불어 제갈충렬과 제갈충무의 실종에 대한 실마리도 잡은 듯싶었다.

'그렇지! 가주와 소가주를 죽였던 자가 사선행수였던가? 이름이…… 담, 뭐라고 했던 것 같은데. 바로 저자인 게 분명하다.'

아무리 강호가 넓고 고수가 많다 한들 제갈보민이나 제갈보령을 일초에 죽일 정도의 실력자는 결코 흔치 않았다. 그 실력자를 사선행자로 한정 짓는다면 더더욱 그러했다.

'나로서는 상대하기 힘든 고수다.'

제갈보광은 호흡을 가다듬으면서 손을 앞으로 내밀었다.

화르륵!

그의 손바닥 위로 불꽃 일렁이는 화염구(火炎球)가 생성되었다.

'원군이 당도할 때까지 최대한 시간을 벌어야 한다. 구백과 다른 대주들이 힘을 합친다면 분명 저자를 잡을 수 있을 테니까.'

아닌 게 아니라 멀리서부터 호각 소리가 희미하게 들려오고 있었다. 이곳으로 집결 중인 무적가 고수들이 서로 연락을 취하는 신호였다.

그 호각 소리가 멈출 때까지, 무적가 고수들이 모두 집 결할 때까지만 버티면 되는 것이다.

순간, 제갈보광은 이를 악물고 황급히 내력을 집중했다. 잠시 상념에 빠진 사이, 화염구가 크게 흔들리며 원형이 일그러졌던 것이다.

열화신공(熱火神功)이 극성에 이르러서야 만들 수 있는 게 화염구였다. 지금 제갈보광의 진전으로는 완벽한 화염구를 생성하는 게 역부족이었다. 자칫 이 화염구 하나로 인해 내공이 고갈될 위험도 없지 않았다.

그러나 이 다급하고 긴박한 상황에서 그런 것까지 생각할 여유는 없었다. 어쨌든 저들의 발목을 최대한 오랫동안 붙들어 매야 했다.

그게 자신을 위해 목숨을 바친 제갈보령에 대한 최소한의 예우이기도 했다.

제갈보광은 호흡을 가다듬으며 중앙의 복면인을 노려보았다가 이내 생각을 바꾸었다.

'아니, 저자보다는…….'

그의 시선이 빠르게 장내를 훑었다.

지금 무적가 무사들과 싸우고 있는 세 명의 복면인. 그 중에서 가장 약해 보이는 이가 누구인지 파악했다. 자신의 화염구로 가장 큰 타격을 입힐 상대를 찾는 것이다.

일순 한 명의 복면인이 제갈보광의 시야에 들어왔다.

"가라!"

제갈보광은 크게 소리치며 화염구를 던졌다.

시뻘건 화염으로 이글거리는 화염구가 곧장 그 복면인을 향해 날아갔다.

3. 먼지구름

뜨거운 열기가 와락! 등 뒤에서 덮쳐들었다.

무적가 무사들은 깜짝 놀라 황급히 몸을 피했고, 그 열기를 느낀 화군악 또한 뒤로 훌쩍 몸을 날린 후 무슨 영문인지 확인했다.

한 구의 화염구가 자신을 향해 날아오는 광경이 시야에 들어왔다.

"응?"

화군악의 눈이 휘둥그레졌다.

"화염구로구나!"

화염구는 익히 경험한 바가 있었다.

지난날, 제갈충렬은 두 개의 화염구를 자유자재로 다뤘고 하마터면 화군악과 장예추 모두 그 화염구의 불길에 휩싸여 재가 될 뻔한 적이 있었던 것이다.

'흥! 제갈충렬은 두 개의 화염구를 다뤘다. 그런데 저자

는 겨우 하나만 던진 걸 보니 제갈충렬보다 배는 약하다는 뜻이 되겠구나.'

하지만 화군악은 경시하지 않았다.

화염구의 불길은 모든 걸 태워 버릴 때까지 꺼지지 않았다. 몸에 살짝 스치기라도 하면 이내 그 불길은 전신을 휘감고 활활 타오를 것이다.

'그렇다고 마냥 도망치기만 할 수는 없지'

화군악은 눈빛을 반짝이더니 이내 앞으로 달려 나갔다.

십여 장 밖에서 화염구를 조종하던 제갈보광이 움찔거렸다. 지금 저 복면인은 마치 화염구에 정면으로 부딪치려고 하는 것 같았다.

'화염구의 위력을 모르는구나.'

제갈보광은 더욱 내공을 끌어올리며 화염구를 빠르게 움직였다. 화염구는 곧장 화군악에게로 쏘아졌다.

하지만 다음 순간, 제갈보광은 황급히 손을 휘저었다. 화군악을 향해 일직선으로 날아가던 화염구가 급격하게 회전하며 방향을 바꿨다.

'성공이다!'

크게 방향을 바꿔 선회하는 화염구를 보면서 화군악은 내심 쾌재를 불렀다. 뒤로 물러나 도망치는 게 아니라 아예 무적가 무사들 한복판으로 뛰어든 게 정답이었던 것이다.

'화염구의 불길에 제 수하들을 노출시킬 수는 없을 테니까 말이지.'

화군악은 그렇게 생각하며 무적가 무사들 사이에서 마구 날뛰었다.

무적가 무사들은 그가 중구난방으로 날뛰며 공격을 퍼붓자 전력을 다해 방어를 하는 한편 역습을 가했다. 금세 그들은 한데 뒤엉켜 마구잡이로 싸우기 시작했다.

'이런 빌어먹을.'

제갈보광은 입술을 깨물었다.

복면인과 수하들이 저렇게 한데 뒤엉켜 싸우는 이상, 그곳으로 화염구를 던질 수는 없었다. 자칫하다가 복면인이 아닌 무적가 무사들을 불태워 죽일 위험이 있었다.

제갈보광은 어쩔 수 없이 화염구의 방향을 선회하여 우측의 복면인으로 목표를 바꿨다. 화염구는 반원을 그리면서 장예추에게로 쏘아졌다.

'화염구로군.'

장예추는 자신을 향해 날아드는 화염구를 침착한 눈길로 지켜보았다. 무적가 무사들 역시 화염구의 존재를 인식하고 이미 삼사 장 뒤로 물러나 있는 상태였다.

'군악처럼 저 사이로 뛰어들까?'

장예추는 이내 고개를 저었다. 동시에 그는 검을 고쳐

잡으며 내공을 한껏 끌어모았다.

'제갈충렬과 싸울 때 이 방법을 사용해 봤으면 하는 아쉬움이 있었지.'

장예추의 소매가 크게 부풀어 올랐다. 전신 내력이 그의 두 손에 모여들자, 우웅 하며 검이 울기 시작했다.

검명(劍鳴)을 들은 제갈보광이 깜짝 놀랐다.

'검을 울리게 만들다니! 도대체 저 복면인은 또 뭐란 말이냐?'

진신 내공만으로 검을 울게 만드는 건 그만큼 정순하고 고강한 내력이 있어야 가능한 일이었다. 이곳에 모여 있는 오륙십 명의 무적가 고수들 중에서도 저렇게 또렷하고 명료한 검명을 낼 수 있는 자는 전무하다시피 했다.

제갈보광이 깜짝 놀라면서 상황이 살짝 바뀌었다.

집중력이 흩어지면서 동시에 그의 내력이 흔들렸고, 그로 인해 빠르게 날아들던 화염구가 주춤거렸다.

장예추는 그 기회를 놓치지 않았다. 그는 자신의 두 손에 모인 필생의 공력을 이용하여 전력을 다해 검을 내질렀다.

그 순간 공기가 반으로 갈라지는 듯한 착각과 함께 그 사이로 새하얀 검기가 단단한 기둥처럼 일직선으로 뻗어나갔다.

콰아앙!

검기와 화염구가 부딪치면서 귀가 멀 것만 같은 폭발음이 터져 나왔다. 동시에 화염구가 산산조각 부서졌고, 불꽃과 불똥이 사방으로 튀었다. 무적가 무사들은 불똥을 피해 사방으로 흩어졌다.

제갈보광의 입이 쩍 벌어졌다.

믿을 수가 없었다.

있을 수 없는 일이 또 벌어졌다.

검기로 화염구를 박살 내 버리다니, 직접 눈으로 보고도 쉽게 믿어지지 않는 일이었다.

"……검기가 아니다."

제갈보광은 저도 모르게 중얼거렸다.

"설마 검강(劍罡)을 펼친 건가?"

중얼거리는 그의 목소리가 부들부들 떨리고 있었다.

그 광경에 놀란 건 제갈보광뿐만이 아니었다.

'아예 화염구를 박살 냈어?'

화염구를 피해서 무적가 고수들 사이로 뛰어들었던 화군악은 너무나도 놀란 나머지 저도 모르게 손을 멈추고 말았다.

지금 장예추는 화군악이 전혀 생각하지 못한, 아예 생각조차 하지 않았던 방법을 사용하여 화염구를 상대한 것이다. 그것도 화군악처럼 잔머리를 굴리는 게 아니라 아주 완벽하고 깨끗한 방법으로……

분하다는 생각이 언뜻 화군악의 뇌리에 떠올랐다.

"윽."

동시에 그는 신음을 터뜨렸다.

무적가 무사가 휘두른 칼이, 너무 놀란 나머지 잠시 우두커니 서 있던 화군악의 어깨를 훑고 지나간 것이다.

"제기랄!"

화군악은 욕설을 퍼부으며 다시 검을 휘둘렀다. 상처 입은 호랑이처럼 그는 마구 날뛰었다.

일격필살의 쾌검을 날려 방금 자신의 몸에 상처를 낸 자의 목을 꿰뚫은 화군악의 눈빛은 그 어느 때보다도 강렬하게 빛나고 있었다.

그때였다.

삐익! 삑!

멀리서 들려오던 호각 소리가 급격하게 가까워졌다. 수십, 수백 명이 빠르게 달려오고 있었다.

그들의 기척을 느낀 담우천의 표정이 살짝 굳어졌다. 생각보다 강한 저항에 가로막혀서 제갈보광에게 더 이상 가까이 다가가지 못한 아쉬움의 흔적이었다.

'철수하자.'

담우천은 빠르게 상황을 판단했다.

'더 늦장을 부리다가는 수백 명 적들에게 둘러싸이게

된다. 그 전에 물러나는 게…….'

그렇게 결정을 내린 담우천은 휘파람을 불어 장예추와 화군악에게 신호를 보냈다.

장예추는 고개를 끄덕이며 뒤로 물러났다. 하지만 화군악은 미처 그 신호를 듣지 못한 듯 여전히 적진 한가운데에 버티고 서서 전신(戰神)처럼 검을 휘둘렀다.

'이런.'

담우천은 다급하게 휘파람을 불었다.

날카로운 휘파람 소리가 화군악의 귓전으로 파고들었다. 그제야 화군악은 퍼뜩 정신을 차리고 황급히 물러나려 했다. 하지만 적진 한복판에서 퇴각하는 건 생각보다 그리 간단한 일이 아니었다.

"어딜 도망치려 하느냐?"

무적가 고수들은 눈에 불을 켜고 덤벼들었다. 화군악은 인상을 찡그리며 퇴각의 기회를 엿봤다.

순간, 갑작스레 호각 소리가 들리지 않았다. 동시에 수많은 무사들의 모습이 어둠 저편에서 물밀듯이 밀려들었다. 이내 거리는 무적가의 원군들로 가득 메워졌다.

'늦었다.'

담우천이 속으로 혀를 찰 때였다.

우르릉!

요란한 굉음과 함께 이층 객잔이 크게 휘청거리나 싶더

니 이내 커다란 균열을 내면서 송두리째 무너져 내려앉 았다. 지진이라도 난 것처럼 천지가 크게 흔들렸다.

건물 전체가 붕괴되면서 나무판자와 흙들이 사방으로 튀었다. 객잔이 모두 무너져 내려앉은 후에도 여전히 귀 가 멀 것 같은 굉음이 들려왔고, 여진(餘震)이 이어지듯 지면은 계속해서 흔들렸다.

먼지구름이 피어올라 반경 이십여 장이나 뿌옇게 뒤덮 었다. 무너진 객잔 주변은 마치 짙은 안개라도 낀 듯 앞 을 제대로 볼 수가 없었다.

"이리로!"

묵직한 목소리가 그 안개 저편에서 흘러나왔다.

강만리였다.

장예추는 그 목소리의 방향에 맞춰 곧바로 신형을 날렸 다.

담우천도 신형을 날리려다가 문득 어느 한 방향과 거리 를 가늠하여 검을 내던졌다.

"윽."

짙은 운무(雲霧) 저편에서 신음 소리가 흘러나왔다. 그 소리를 확인한 담우천은 곧장 먼지구름을 뚫고 강만리에 게로 날아갔다.

화군악 또한 안개처럼 짙은 흙먼지로 뒤덮여 사위를 제 대로 확인할 수 없는 틈을 타서 허공 높이 몸을 솟구쳤다. 단숨에 적진을 빠져나온 그는 곧장 강만리의 목소리를 따라 경신술을 펼쳤다.

　네 명의 복면인은 먼지구름으로 시야가 가려진 틈을 타서 그렇게 자취를 감췄다.

10장.
무림의 율법(律法)

무엇보다 저들은 반드시 돌아올 것이네.
그때는 지금보다 더 강한 힘을 가지고 더욱 집요하게 우리를 노리겠지.
그러니 우리가 저들의 힘을 약화시킬 수 있을 때 최대한 약화시켜야 하네.
놈들이 이곳으로 다시 올 때 오더라도,
우리를 두려워하고 겁내게 만들어서 함부로 행동하지 못하도록 해야 하네.

1. 제대로 된 무인

담우천들이 차례로 지붕 아래로 내려간 후 홀로 남게 된 강만리는 연신 엉덩이를 긁적거렸다.

'진짜 살을 빼야 하나?'

복면 안쪽 그의 얼굴은 난감한 표정으로 물들어 있었다.

확실히 지금 그는 북경부에 갔을 때보다 훨씬 살이 쪘다. 배에 가려서 발가락이 보이지 않을 정도이니, 어찌 보면 무림인으로서 낙제라고도 할 수 있었다.

그러나 그 역시 변명할 부분이 없는 건 아니었다.

우선 그가 아무런 운동도 하지 않고 매일 먹고 자기만 하는 건 결코 아니었다.

강만리는 일어나자마자 몸을 단련하고 체력을 키우기 위해 일각 이상 마보의 자세를 취했다. 또한 아침저녁 꼬박꼬박 운기조식을 반 시진 이상 했으며 권각술 또한 쉬지 않고 수련했다.

그럼에도 불구하고 그의 어깨와 팔, 배와 허벅지는 점점 더 굵고 두터워졌다. 그리하여 지금은 어찌 보면 살을 가장한 근육이라고 할 수 있을 정도로 단단하고 두툼한 살집이 그의 전신을 휘감았다.

'휴우.'

강만리는 지붕 위에 쪼그리고 앉으며 한숨을 내쉬었다. 언제나 느끼는 거지만 자신의 의형제들이 부럽기 그지없었다.

담우천의 저 무지막지한 무위도 부러웠고, 화군악과 장예추의 날렵하고 미끈하게 빠진 몸매도 부러웠으며, 심지어 설벽린의 잘생긴 외모조차 부럽기 짝이 없었다.

'하필이면 그중 가장 못난 내가 통솔의 중책을 맡게 되다니…….'

물론 마냥 그렇게 의기소침해 하고 있을 수만은 없는 노릇이었다.

강만리는 곧 정신을 차리고 사방을 둘러보았다.

무적가 무사들은 객잔을 중심으로 반경 백여 장 내, 다섯 명이 한 조가 되어 사위를 경계하고 있었다.

그들은 객잔 내부로 세 명의 복면인이 잠입했고, 또 객잔 지붕에 이렇게 강만리가 숨어서 자신들을 관찰하고 있다는 사실을 전혀 알지 못하고 있었다.

'재미있군.'

강만리는 그들을 관찰하며 내심 중얼거렸다.

'원래 등잔 밑이 어둡고, 객잔 지붕의 경계가 가장 느슨한 법인가?'

그때였다. 객잔 내부에서 우당탕탕! 하는 소리가 들려왔다.

강만리는 화들짝 놀라며 뚫린 구멍으로 고개를 들이밀었다.

객잔 내에서는 한참 싸움이 벌어지고 있었다. 담우천의 검이 한 명의 중년인을 노리고 집요하게 파고들었다. 그때마다 다른 무적가 무사들이 그 앞을 가로막거나 대신 목숨을 바치며 중년인을 필사적으로 지켰다.

'저자가 제갈보광이겠구나.'

강만리는 좁쌀 같은 눈을 부릅뜨고 중년인을 지켜보았다. 중년인은 미꾸라지처럼 담우천의 검을 피하다가 틈을 노려 객잔 창을 뚫고 밖으로 도망쳤다.

강만리는 서둘러 고개를 빼고 지붕 끝으로 자리를 이동했다. 객잔 입구에 서 있던 무사들이 제갈보광을 보호하는 가운데 담우천과 화군악, 장예추가 천천히 걸어 나왔다.

다시 한바탕 싸움이 시작되었다. 정신없이 그 싸움을 내려다보던 강만리는 문득 얼굴을 굳히며 자리에서 벌떡 일어났다. 멀리서 들려오던 호각 소리가 점점 더 가까워지고 있었던 것이다.

강만리는 천조감응진력을 발동했다. 백여 장 밖의 기척과 움직임들이 생생하게 전달되었다. 이내 그의 이맛살이 절로 찌푸려졌다.

'이백 명이 넘게 몰려오고 있군. 그렇다면 금룡회 측과의 싸움이 끝난 건가?'

동쪽에서도 오십 명가량의 기척이 빠르게 다가오고 있는 것이, 야래향과 유 노대의 훼방도 큰 소용이 없었던 모양이었다.

'저들이 모두 몰려오면 쉽게 빠져나가지 못할 것 같은데……. 대충 퇴각할 때를 봐야겠구나.'

강만리는 다시 객잔 아래로 시선을 돌렸다.

화염구가 허공을 날았고 장예추의 검에서 새하얀 빛이 번개처럼 작렬했다. 뒤이어 엄청난 폭발음과 함께 화염구가 송두리째 박살 났다.

강만리는 저도 모르게 입을 쩍 벌렸다.

그 역시 화염구의 위력에 대해서 익히 보고 들어 잘 알고 있었다. 심지어 담우천조차 과거 제갈보국의 화염구 앞에서 쩔쩔 매지 않았던가.

그 절세신공(絕世神功)의 화염구를 단 일검에 박살 내다니, 장예추의 무위가 어느 정도의 경지에 오른 것일까.

놀라 입을 벌리고 있던 강만리는 퍼뜩 정신을 차리고 주위를 둘러보았다.

어느새 호각 소리가 멈췄다. 무적가 무사들이 반경 백여 장 밖까지 다가온 상황이었다. 이제 그 수백의 무리를 따돌리고 도망쳐야 했다.

'안개라도 끼면 도망치기 수월할 텐데.'

강만리는 무의식적으로 그런 생각을 떠올렸다. 이내 그의 조그마한 눈이 반짝였다.

그는 자신이 우뚝 서 있는 객잔 지붕을 내려다보았다.

이걸 무너뜨린다면…….

건물이 주저앉으면서 발생하는 흙먼지라면 충분히 다른 이들의 시야를 가로막을 수 있을 것이다.

그리고 흙먼지가 가라앉기 전 서둘러 이 자리를 빠져나간다면, 누구보다 성도부 뒷골목 지리에 정통한 강만리가 선도하여 저들의 추격을 쉽게 따돌릴 수 있을 것이다.

그런 생각이 번개처럼 강만리의 머리를 스치고 지나갔다. 동시에 그는 객잔 바로 옆 지붕으로 몸을 날렸다. 옆 건물에서 보는 객잔은 압도적이라고 느껴질 정도로 컸다.

그 객잔을 지켜보면서 강만리는 각오를 다졌다.

자신의 힘으로 저 건물을 붕괴시킬 수 있을까, 하는 의문에 사로잡혀 있을 때가 아니었다. 반드시 무너뜨려야 했다. 안 되면 되게 만들어야 했다.

그것만이 세 명의 형제들을 구해 낼 수 있는 방법이었고, 또 오직 지금 이 자리에 있는 자신만이 해낼 수 있는 일이었으니까.

'이렇게 하는 거였던가?'

강만리는 기억을 더듬었다.

제갈보국이나 제갈원이 손바닥 위에 화염신구를 생성하던 모습을 떠올렸다.

나중에 담우천을 통해 듣기로는 그 화염신구는 제갈세가 사람들 특유의 열양지공을 압축하여 체외로 발출, 구현화시킨 거라고 했다.

방법은 다를 뿐 어지간한 내가 고수들은 다들 그런 식으로 자신의 내력을 형체화(形體化)시키는데, 검기나 검공, 장풍이나 지풍 같은 것들 또한 바로 그런 부류라고 할 수 있다고 했다.

강만리는 한껏 내공을 끌어올렸다. 바람이 불지도 않았는데 그의 옷자락이 세차게 펄럭였다. 그의 가슴과 허벅지가 팽팽하게 부풀어 올랐다. 사지백해가 활짝 열리면서 그의 양손으로 막강한 내력이 흘러들었다.

그는 두 손을 들어 단전 즈음에 두었다. 그리고 양손바닥 사이에 투명한 공이 있다는 생각을 하면서, 손에 모여 있던 내력들을 그 공 안으로 모으는 상상을 했다.

동시에 엄청난 양의 진기가 손바닥을 통해 체외로 빠져 나갔다. 그리고 곧 투명한 공 안으로 빨려 들어간 진기가 그 안에서 소용돌이를 일으키며 회전하기 시작했다.

'오오……'

강만리의 눈이 커졌다.

보인다. 보이는 것이다.

지금 자신의 양손바닥 사이에 있는, 조금 전까지만 하더라도 상상 속에서만 존재했던 투명한 공이, 믿을 수 없게도 지금 희뿌연 구체로 형태를 갖추기 시작했다.

마치 투명한 공안에 담배 연기를 한껏 불어넣은 듯한, 그리고 그 담배 연기가 마구 소용돌이치면서 회오리를 일으키고 있는 듯한 형상이었다.

강만리는 그 희뿌연 진기가 멋대로 날뛰지 않도록 노력했다. 희뿌연 공을 흔들어도 그 안의 진기가 흩어지거나 그대로 폭발하지 않도록, 회오리가 가라앉고 소용돌이가 잠잠해져서 마침내 평온해지도록 모든 정신을 집중했다.

이윽고 구체 안의 진기가 차분하게 가라앉았다. 강만리는 호흡을 가다듬으며 한 손으로 구체를 쥐었다. 손바닥에 딱 맞는 구체였다. 부드러우면서도 따스한 성질의 구체.

'이걸로 된 걸까?'

강만리는 식은땀을 흘리면서 구체를 내려다보았다.

무적가의 화염신구를 보고 난 이후, 또 담우천으로부터 '자네의 내공이라면 충분히 그와 비슷한, 아니 그보다 더 강력한 구체를 만들어 낼 수 있을 것이야.'라는 소리를 들은 이후, 강만리는 끊임없이 수련하고 노력했다.

하지만 노력이 부족해서인지 아니면 간절함이 부족해서인지 지금껏 단 한 번도 완성하지 못했던 그였다. 그래서 지난 몇 달 동안 포기하고 아예 손을 놓고 있었던 상황이었는데, 지금 이렇게 급박하고 위험한 상황에서 갑작스레 성공하게 된 것이다.

강만리는 긴장을 풀지 않았다. 최대한 정신을 집중한 상태로 객잔을 향해 그 회백색(灰白色) 구체를 집어던졌다. 객잔 외곽 기둥에 구체가 격중하는 순간, 천지가 진동하는 굉음이 터졌다.

우르릉!

한쪽 벽면이 처참할 정도로 박살 났다.

무게 중심을 잃은 객잔이 크게 휘청거리나 싶더니 이내 커다란 균열을 일으키면서 그대로 무너져 내려앉았다. 그 위로 흙먼지가 불길처럼 솟구치더니 순식간에 객잔 주변을 짙은 안개처럼 뒤덮었다.

강만리는 자신이 만들어 낸 장관에 크게 놀라면서도 한

편으로는 가슴이 뿌듯해졌다. 이제야 비로소 제대로 된 무인이 됐다는 생각이 언뜻 그의 뇌리를 스쳤다.

그래서였다.

'좋아! 지금 이 구체를 가리켜 벽력진천황(霹靂震天丸)이라고 부르겠다.'

평소의 그와는 전혀 어울리지 않는, 그렇게 허세 가득한 명칭을 입에 올린 것은.

우르르르!

객잔이 모두 무너져 내려앉은 후에도 지면은 계속해서 흔들렸다. 강만리는 퍼뜩 정신을 차리고 흙먼지로 시야가 막힌 전면을 향해 크게 소리쳤다.

"이곳으로!"

강만리는 그들이라면 이 혼란한 와중에도 자신의 목소리를 듣고 그 의중을 파악할 수 있을 거라 믿었다.

아니나 다를까, 흙먼지를 뚫고 담우천이 강만리의 곁으로 날아왔다. 그 뒤를 이어 장예추와 화군악이 차례로 모습을 드러냈다.

강만리는 그들을 확인하자마자 곧장 서북쪽으로 몸을 날렸다. 조금 전 주변 상황을 둘러 봤을 때 유일하게 무적가 무사들을 볼 수 없었던 방향이었다.

그들 네 명은 건물들의 여러 건물의 지붕과 굴뚝을 밟으면서 순식간에 세 개의 거리를 뛰어넘은 다음 곧바로 골목 안으로 미끄러지듯 숨어 들었다.

성도부의 골목은 구절양장(九折羊腸)처럼 복잡했다. 심지어 토박이들조차 가끔씩 길을 잃기도 하는 미로와도 같았다. 선두에 선 강만리는 그 좁고 꾸불꾸불하며 여러 갈래로 나 있는 골목길을 거침없이 질주했다.

얼마나 시간이 흘렀을까.

이윽고 골목길이 끝나는가 싶더니 이내 한적한 거리가 나타났다. 유난히 낯이 익은 거리, 화평장에서 불과 백여 장밖에 떨어져 있지 않은, 북성로였던 것이다.

"어라?"

일순 화군악의 눈이 휘둥그레졌다.

"나도 모르는 이런 지름길도 있었네?"

화군악 또한 제법 어린 시절부터 성도부에 터를 잡았던, 나름대로 토박이라 할 수 있는 인물이었다. 그런 화군악 역시 방금 강만리가 달려온 지름길은 전혀 알지 못하고 있었다.

강만리는 북성로를 따라 화평장으로 걸어가며 어깨를 으쓱거렸다.

"내가 십수 년 성도부 포두 생활을 무늬로 한 게 아니다."

2. 나는 아직 할 일이 남았네

날이 밝았다.

기나긴 겨울밤이 지나고, 이제 새로운 날의 아침이 시작되는 것이다.

화평장에는 이미 야래향과 유 노대가 돌아와 있었다. 그들은 초조한 기색으로 설벽린과 함께 위정전 대청에 모여 있다가 막 대청으로 들어서는 그들을 보고 반색했다.

"어서들 오십쇼."

설벽린이 활짝 웃으며 사람들을 반겼다. 강만리가 대청으로 들어서며 물었다.

"별일 없었나?"

"네, 별일 없었습니다, 지루할 정도로 말이죠."

"지루한 게 좋은 거야."

강만리는 꽤 피곤한 표정을 지으며 탁자로 향했다. 앉아 있던 유 노대가 강 만리에게 사과했다.

"미안하네. 계획만큼 그들을 오래 붙들어 두지 못했네."

"괜찮습니다."

강만리는 자리에 앉으며 말했다.

"어쨌든 이렇게 다들 무사히 돌아왔으니까요."

화군악도 뒤를 따라 자리에 앉다가 아직 흑의 야행복을 입고 있는 야래향을 보고는 킥킥거리며 입을 열었다.

"그 차림새 정말 오래간만에 보는데요, 사부?"

야래향이 가볍게 눈을 흘겼다.

처음 그들이 만났을 때, 야래향은 흑의 야행복을 입고 있었다. 당시 화군악은 이름 대신 소독아라는 별명으로 불리는 십여 세 어린 꼬마였고, 당돌하게도 야래향을 자신의 마누라로 삼겠다고 선언했다.

벌써 십 년이 훨씬 지난 일이었지만 아직도 당시 기억이 또렷했다.

야래향도 웃으며 말했다.

"그래, 그때보다 살이 쪘는지 옷이 꽉 끼는구나."

"무슨 소리예요. 여전히 육감적이고 매력적인 몸매인데요. 아마 사부를 뒤쫓던 무적가 녀석들, 사부의 뒷모습에서 눈을 떼지 못했을 거예요."

"허험."

유 노대가 황급히 헛기침을 하며 입을 열었다.

"그래, 결과는 어찌 되었느냐?"

강만리가 차분하게 말했다.

"아쉽게도 대장은 죽이지 못했지만, 나름대로 성과를 내고……."

담우천이 그의 말을 잘랐다.

"아니, 죽었네."

강만리가 깜짝 놀라며 그를 돌아보았다. 화군악과 장예추도 그를 쳐다보았다.

담우천은 차를 마시며 말을 이었다.

"그곳을 떠나기 전 검을 던져 그의 목을 관통시켰지. 그가 쓰러지는 소리까지 확실히 듣고 자리를 떴으니까, 분명 죽었을 것이야."

"언제 거기까지 손을 쓰셨답니까?"

화군악이 혀를 내둘렀다. 장예추는 살짝 이맛살을 모으며 말했다.

"형님이 검을 안 들고 계셔서 돌아오는 길 내내 의아하게 생각했더니……."

"그럼 검을 회수해야 하지 않습니까?"

"괜찮네. 어디에서나 구할 수 있는 평범한 검이니까."

담우천이 찻잔을 내려놓으며 말했다.

입을 벌리고 그를 바라보던 강만리는 겨우 정신을 차리고 손뼉을 치며 주위를 환기했다.

"그렇다면 이것으로 저 무적가와의 일은 일단락되었군요. 우두머리를 잃은 그들이 끝까지 십삼매나 우리를 수색하지는 못할 겁니다. 예상대로 그들은 전열을 정비하여 성도부를 떠날 것이고, 그들이 되돌아올 때까지 우리도 시간을 벌게 된 거죠."

강만리는 손을 비비며 말을 이어 나갔다.

"이참에 일전에 하다 못한 이야기를 나누고 싶습니다
만……."

"그전에 먼저 할 말이 있네."

강만리는 입을 다물었다. 이번에도 담우천이 자신의 말
을 자른 것이다. 강만리는 속으로 한숨을 쉬며 고개를 끄
덕였다.

"말씀하시죠, 담 형님."

"나는 아직 할 일이 남았네."

담우천의 눈빛은 차가웠고 목소리는 담담했다. 그 눈
빛, 목소리, 표정만으로 강만리는 그가 무슨 생각을 하고
있는지 알 것 같았다.

"꼭 그러셔야 합니까?"

강만리는 길게 한숨을 쉬며 물었다.

"그래야지. 받은 만큼 돌려주고, 입은 만큼 갚는 게 무
림의 관습이자 율법이며 전통이니까."

담우천은 무덤덤한 얼굴로 말을 이어 나갔다.

"저들은 자네나 나뿐만 아니라 우리 가족과 동료, 친구
들의 목숨과 안위를 위협했네. 당연히 그에 합당한 벌을
받아야 하는 것이지."

"하지만……."

"무엇보다 저들은 반드시 돌아올 것이네. 그때는 지금

보다 더 강한 힘을 가지고 더욱 집요하게 우리를 노리겠지. 그러니 우리가 저들의 힘을 약화시킬 수 있을 때 최대한 약화시켜야 하네. 놈들이 이곳으로 다시 올 때 오더라도, 우리를 두려워하고 겁내게 만들어서 함부로 행동하지 못하도록 해야 하네."

"으음."

강만리가 난감하다는 듯이 팔짱을 낄 때, 장예추가 입을 열었다.

"저도 함께 가겠습니다."

말하는 투로 보아 그 역시 담우천의 이야기를 제대로 이해하고 있는 듯했다.

강만리가 인상을 찌푸렸다.

"자네도?"

장예추는 살짝 미소를 지으며 말했다.

"이래 봬도 무림엽사라고 불리니까요. 사냥이라면 저보다 적성이 맞는 사람은 없을 겁니다."

"그럼 나도……."

"넌 빠져라, 좀."

강만리가 손을 내저으며 화군악에게 말했다. 담우천도 동의하듯 말했다.

"군악, 자네는 따로 할 일이 있네."

"할 일이요?"

"그래. 일전에 강 장주가 말하기를, 우리들에게도 의생이 필요하다고 했었지?"

"그랬었나요?"

화군악이 고개를 갸웃거리자 강만리가 쓴웃음을 흘리며 말했다.

"그래. 일전에 무적가와 철목가에게 기습을 당했을 때 그런 말을 한 적이 있다. 바로 네 코앞에서 말이다."

"하하, 그랬나요? 아, 기억이 나는 것 같아요. 그런데 그게 왜요?"

"잠시 잊고 있었는데, 우리들에게 딱 어울리는 의생을 알고 있다."

"뭐 굳이 그럴 필요가 있을까요? 성도부에도 실력 좋은 의생들이 많고 많은데. 또 내 마누라나 마고도 상당한 의술 실력을 갖고 있어서……."

"그것으로는 부족해."

강만리가 단호하게 말했다.

"앞으로 지금보다 더한 싸움이 계속해서 일어날 거야. 그 싸움 와중에 어쩌면 죽거나, 죽을 정도의 중상을 입게 되겠지."

"강 형님, 그래도 죽는다는 이야기는……."

"그래. 죽는 건 어쩔 도리가 없다. 하지만 죽을 정도의 중상이라면 반드시 치료해서 살릴 수 있는, 그런 의생이 필요하다는 뜻이다."

거기까지 말한 강만리는 담우천을 돌아보며 물었다.

"형님이 알고 계신 의생이라면, 상당한 실력을 지니고
있겠군요?"

"그래. 저 약왕문(藥王門)이나 성수의가(聖手醫家)의
후예가 아닐까 하는 소리를 듣던 분이시니까."

"이런……."

일순 유 노대가 한숨처럼 짧은 신음을 토해 냈다. 사람
들의 시선이 그에게로 쏠렸다. 유 노대는 불안한 표정을
지으며 담우천에게 물었다.

"설마…… 귀영신의(鬼影神醫) 초 영감을 말하는 것인가?"

"그렇습니다."

담우천이 고개를 끄덕였다.

* * *

귀영신의 초유동(草遊童).

세상에는 수천수만 명의 의생들이 있고 그 수많은 의생
들 저마다 그럴듯하고 거창한 별호를 지니고 있지만, 그
어떤 의생도 신의(神醫)라는 별호는 결코 함부로 사용하
지 않는다.

최소한 그 시대에서 가장 뛰어난 의술을 지녔음을 자타

가 공인해야만 비로소 붙여지는 칭호가 신의였다. 그런 의미에서 초유동은 전대(前代) 최고의 의생이라 할 수 있었다.

세상 사람들은 그를 두고 이미 대가 끊어진 성수의가의 후예가 아닐까 추측하기도 했다. 혹자는 저 전설의 약왕문 사람일 가능성이 높다고 주장하기도 했다.

그의 약은 죽은 자도 살린다고 했으며, 그의 의술은 멈춘 심장도 다시 뛰게 만든다고도 알려져 있었다.

하지만 정작 초유동 본인은 자신의 의술보다 신법과 보법에 더 자신감을 가지고 있었다. 또 기실 그의 신법이나 보법이 강호 일절로 인정받을 정도로 뛰어나기도 했다.

한때 그는 백여 명의 무림 명숙(名宿)들이 모인 곳에서 그 누구에게도 들키지 않고 자리를 빠져나가겠다는 내기를 하고 결국 승리를 거둔 적이 있었다.

귀영(鬼影)이라는 별호는 그러한 귀신같은 움직임 때문에 붙여진 별호였다.

귀영신의 초유동.

이른바 정사대전이 일어나기 전에 활동을 중지하고 강호를 떠나 은거했다고 알려진 전대의 노기인.

담우천은 그 전대의 노기인을 야시(夜市)에서 우연히 만난 적이 있었다.

3. 유 노대

"야시라고 들어 본 적이 있나?"

담우천의 질문에 강만리는 고개를 갸웃거렸다. 반면 장예추와 화군악은 대수롭지 않다는 투로 말했다.

"주로 장물아비들이 이용한다는 어둠의 시장이잖아요?"

"그게 전부는 아냐."

설벽린이 꽤 심각하게 굳은 얼굴로 말했다.

"도둑의 장물은 기본이고 법적으로 매매가 금지된 양왜(洋倭:서양과 일본)의 물건, 심지어 인신매매까지 할수 있는 곳이 바로 야시야. 문제는 지난 수백 년 이래로 단 한 번도 야시가 열리지 않은 해가 없었고, 그만큼 유구한 역사를 지녔음에도 불구하고 누가 그 야시를 주관하고 주최하는지 전혀 알지 못한다는 거야."

"으음, 야시가 그런 곳이었어요?"

화군악이 의외라는 표정을 지으며 묻자 설벽린이 재차 고개를 끄덕이며 말했다.

"그래. 으스스하고 무시무시한 곳이지. 나도 지금껏 딱한 번 참가해 봤었는데, 두 번 다시 올 곳이 아니라는 생각에 발을 끊었어."

표정을 알 수 없는 얼굴로 가만히 설벽린의 말이 끝나

기를 기다리던 담우천이 그제야 입을 열었다.

"초 노야는 그곳 야시에서 약을 팔고 있다. 또한 당시 말하기를 참마봉방의 순찰당주라고 하였으니, 우리 화평장으로 모셔 오기 힘들지도 모른다. 그러니 군악, 자네가 만나 설득해야 한다."

"모셔오기 힘들 거라면서요? 아니, 그것보다 왜 하필이면 전데요?"

화군악이 억울하다는 표정을 지으며 묻자 담우천은 힐끗 야래향과 유 노대를 바라보며 대답했다.

"자네가 어르신들과 잘 통하니까."

"네에?"

"이유는 잘 모르겠지만 어르신들이 자네를 꽤 귀여워해 주시는 것 같으니까. 초 노야 역시 자네를 좋아하실지도 모르네. 그러니 자네가 이 일의 적임자인 게지."

"하, 하지만……."

그때 강만리가 거들 듯이 입을 열었다.

"초 노야가 얼마나 대단한 의술을 지녔는지는 모르겠지만, 어쨌든 지금 우리에게 반드시 필요한 분인 것만큼은 확실하다. 그러니 부탁하네. 너 아니면 이 막중한 일을 해낼 사람이 없어."

"아, 아, 그게 그러니까……."

화군악은 난감한 표정을 지으며 장예추를 돌아보았다.

장예추는 얼른 고개를 외로 꼬아 시선을 돌렸고, 설벽린은 웃으며 말했다.

"그래. 나도 널 추천하겠어. 대부인과 둘째 대부인, 그리고 유 사부까지…… . 자네와 만나기만 하면 다들 네 편이 되잖아? 그러니 이번 일에 딱 맞는 거지."

"설 형님! 나랑 무슨 원수가 졌어요?"

"뭔 소리야? 진심으로 추천하는 거라니까."

설벽린이 이죽거렸다. 화군악이 눈을 부라리며 그를 노려볼 때였다.

"아, 자네도 함께 가게."

강만리가 설벽린에게 말했다.

"예? 저, 저요? 아니, 제가 왜 그곳을…… ."

설벽린은 아닌 밤중에 홍두깨라는 듯한 표정을 지었다. 강만리가 고개를 끄덕이며 말했다.

"야시에 가 본 적이 있다고 했잖은가? 당연히 그런 경험이 있는 자가 함께해야 조금이라도 더 수월하게 목적을 달성할 수 있겠지."

"물론이죠!"

화군악이 힘차게 말했다.

"저는 야시에 대해 아무것도 모른다고요. 그러니 형님께서 잘 안내하고 인도해 주셔야죠. 설마 아무것도 모르는 이 동생만 홀로 그 으스스하고 무시무시한 곳으로 보낼 생각은 아니겠죠?"

화군악은 조금 전의 복수라는 듯이, 아니면 결코 혼자 빠져 죽지는 않겠다는 듯이 설벽린을 끌어들였다.

"아니, 그러니까 그게……."

설벽린은 당황하여 쉽게 말을 잇지 못했다.

짝!

강만리가 손뼉을 치며 정리했다.

"좋아. 그럼 벽린과 군악이 야시에서 초 노야를 찾기로 하는 것으로 이야기를 끝내자. 그리고 담 형님과 예추는 그 무림의 율법인지 규칙인지 관습인지 하는 걸 확실하게 해내기로 하고."

그는 사람들을 둘러보며 말을 이었다.

"다 된 거죠? 다들 피곤들 하실 터이니 오늘은 이만 끝내기로 하죠. 자세한 사안들은 점심 식사를 하고 나서, 그때 논의하기로 합시다. 해산."

말을 마친 강만리는 야래향과 유 노대에게 인사를 한 후 곧바로 자리를 떴다. 화군악과 설벽린도 서로 티격태격하면서 대청을 빠져나갔다. 장예추도 그 뒤를 따라 강가보로 향했다.

대청에는 이제 담우천과 야래향, 유 노대만이 남았다. 어색한 공기가 그들 주변에 내려앉았다. 유 노대가 한숨을 길게 내쉬고는 담우천에게 말을 건넸다.

"할 말이 있나 보군그래."

담우천은 살짝 고개를 끄덕이며 물었다.

"초 노야와 친하십니까?"

"친하다라…… 뭐, 친하다고 하면 할 수 있고, 친하지 않다고 하면 그럴 수도 있는 사이라네."

"솔직하게 말하자면 아무리 군악이라 할지라도 초 노야를 설득해 이곳으로 오게 만들 수는 없다고 생각합니다. 어쨌든 초 노야는 참마붕방의 순찰당주이니까 말입니다."

'또 애당초 그걸 원해서 군악과 벽린을 보내는 것도 아니니까요.'

담우천은 굳이 뒷말까지 할 필요가 없다고 생각하며 속으로 삼켰다.

그런 사실을 알 리가 없는 유 노대가 혀를 쯧쯧, 차며 입을 열었다.

"어린아이들도 아니고, 그 나이 먹고서 무슨 조직 놀음을 하겠다고 순찰당이니 뭐니 하고 직책을 붙이고 그러는지."

"원래 사람이라는 게 세 사람만 모여도 상하(上下)가 나눠지고, 다섯 사람만 모여도 조직이 만들어진다고 하지 않습니까? 우리 화평장도 벌써 이런저런 직책들이 있으니까요."

"그건 그렇지만…… 그래도 나잇살 먹고 언제 죽어도 이상하지 않은 늙은이들이 순찰당주니 집법당주니 하고 돌아다니는 건 확실히 우스운 일이 아니고 뭐겠나?"

"그렇게 생각할 수도 있겠네요."

듣고 있던 야래향이 끼어들었다. 그녀는 담우천을 바라보며 부드러운 어조로 말을 이었다.

"유 사부에게 원하는 게 있으면 빙빙 돌리지 말고 하지 그래?"

"그리 말씀하시니 바로 말씀드리겠습니다. 유 노대께서 군악과 벽린과 동행해 주셨으면 합니다."

"내가?"

유 노대의 눈이 휘둥그레졌다.

"아까는 무적가 사람들을 훼방 놓으라더니 이번에는 초 늙은이를 찾아 달라고? 허어, 이거 공짜로 재워 주고 밥을 먹인다고 해서 너무 부려 먹는 게 아닌가?"

"죄송합니다. 하지만 초 노야를 찾아 달라는 게 아닙니다."

담우천은 정중하게 말했다.

"사실 그 두 친구만 보내기에는 야시가 너무나 무섭고 두려운 곳이라서요. 게다가 혈기 방장하고 호기심 많은 친구들이라 어디로 튈지, 무슨 일을 벌일지 걱정이 됩니다. 그러니 경험 많고 노회한 유 노대께서 그들을 지켜 주셨으면 하는 게 제 부탁입니다."

"허어, 거참."

유 노대가 탄식하자 이번에는 야래향이 손을 뻗어 그의 손을 쥐며 다독거렸다.

"나도 부탁드릴게요."

유 노대는 야래향을 돌아보았다. 나이가 들면서 훨씬 더 원숙하고 우아한 분위기를 풍기는 야래향의 부드럽게 미소를 머금으며 말했다.

"군악이 내 하나뿐인 제자라는 거 잘 아시잖아요? 야시에서 아무 일 없이 돌아올 수 있도록 도와주세요."

담우천이 서둘러 말을 받았다.

"진심입니다. 유 노대께서는 초 노야를 찾는 일에 전혀 신경 안 쓰셔도 됩니다. 그저 군악과 벽린만 보살펴 주시기를 바랄 따름입니다."

"그 아이들이 세 살배기 아기들도 아니고, 또 군악이라면 나와 비교해도 그리 뒤처지지 않는 무위를 지녔는데도 그리 걱정이 되는 겐가?"

"그렇기 때문에 더 걱정하고 있습니다."

담우천은 진심으로 말했다.

"군악은 지금 한창 힘을 쓰고 싶어서 안달 나 있습니다. 자신의 넘쳐흐르는 힘과 무위를 제어하지 못하고 있습니다. 그런 상태에서 행여 야시와 부딪치기라도 하면……."

담우천은 말꼬리를 흐렸다. 하지만 야래향과 유 노대

모두 그 뒷말을 궁금해하지 않았다. 그 결과는 굳이 담우천이 말하지 않아도 뻔했으니까.

"그때는 그를 말려 줄 사람이 필요합니다. 죄송한 말씀이지만 유 사부께서 그 역할을 해 주셨으면 합니다."

담우천은 자리에서 일어나 허리를 숙였다.

"허어, 거참."

유 노대는 혀를 찼다. 저렇게까지 나오는 데야 더 이상 거절할 명분이 없었다.

"어쩔 수 없지."

그는 마치 스스로에게 다짐하는 듯한 얼굴로 말했다.

"분명하게 말하는데 초 늙은이 건에 대해서는 전혀 신경 쓰지 않을 걸세."

"물론입니다."

담우천이 빙긋 웃으며 말했다.

"고맙습니다, 유 사부."

야래향이 유 노대의 손을 다독이며 말했다.

"나도 고마워요, 유 사부."

유 노대의 얼굴이 살짝 붉어졌다.

(무림오적 25권에서 계속)

글로버닝 현대 판타지 장편소설

다재다능
예고 천재

재능이 없어 현실의 벽을 넘지 못하고
화가의 꿈을 접었던 김민준

절망하던 그에게 주어진 두 번째 기회!

[주변에 재능 흡수 가능한 물건이 존재합니다]

미켈란젤로, 모차르트, 톨스토이……
그들의 능력은 모두 내 것이 되리라

지금 이 순간 예술계를 뒤흔들
현대판 레오나르도 다 빈치가 등장한다!